A·M

Angelica Mendoza
2408 Bowen Wynd, SW
Edmonton, AB - T6W 1J7
Canada

Pronto y práctico

Practical Spanish for Canadians

New
Revised
Edition

Ingrid de la Barra - Brenda Wegmann

Illustrations by Norma Vidal

University of Alberta - Faculty of Extension

Revised Edition / 2002

CANADA

Practical Spanish

10849 - 32A Avenue

Edmonton, Alberta, T5J 3B8, Canada

Fax/ Tel. 780 434-4090

sinfront@telusplanet.net

Website: www.sinfronteras2000.com

Canadian Cataloguing in Publication Data

de la Barra, Ingrid, 1944- **ISBN 0-9698679-0-5**

1. Spanish language--Textbooks for second language learners--English.* 2. Spanish language -Composition and exercises -English. I. **Wegmann, Brenda**, 1941- II. Title. III. Title- *Practical Spanish for Canadians.*

Prefacio

Pronto y práctico represents a practical and enjoyable approach to mastering the basics of the world's most user-friendly international language. Designed especially for the interests of English-speaking Canadians, the book and its companion CD present the most essential points of Spanish grammar, pronunciation, and usage in clear language with useful examples and lively exercises.

The Companion Compact Disc.

Those parts of the text marked with a audio icon are on the CD. For the second edition a completely new recording has been made, which includes the voices of native speakers from many different parts of the Hispanoamerican world. Students should listen to each chapter several times, and practice imitating the native voices they hear.

A Different Approach - For Adult or High School Programs

The book and tape program *Pronto y práctico* is designed to teach the most essential points of grammar first, with a lot of practice, so that if students need to take time off from the program they will leave with what will be most useful to them. This is especially important for adult programs where professional obligations often interfere with students completing an entire sequence. It is also relevant in general terms since what we learn first we practice the most. The program first presents the present tense, a simple manner of expressing the future, and then the present perfect so that a student may communicate at that point at a basic level about present, future and past events without having to deal with the rather overwhelming complexities of the imperfect, preterite and true future tenses. Preterite and imperfect are added in the final chapters. This is different from the usual approach, which is grammar driven rather than needs driven.

A quick glance through the book will show that *Pronto y práctico* stresses vocabulary acquisition, pronunciation and conversation practice more than all other aspects of language learning since these have been demonstrated again and again through research as the most necessary for the beginning language learner.

For High School, *Pronto y práctico* can be used as the basic text for the first two years. It has the advantage of being simpler, lighter in tone, and more community-oriented than most High school books. Since it is also used in adult programs, it does not talk down to the young, but treats them with respect, dealing with timeless topics that appeal to people of all ages.

The delightful drawings of **Norma Vidal** bring in a touch of humor which is much appreciated by adolescents as well as adults. Finally, and importantly the price has been kept reasonable so that Canadian students and instructors may have an alternative to the flood of overpriced texts coming from the United States.

At the end of *Pronto y práctico,* students can communicate in a very basic way in Spanish on some of the most common topics.

New to this Revised Edition

Pronto y práctico has been updated and extended, with two completely new chapters added. They include Imperfect and Preterite tenses. An entirely new recording has been done for the CD, including native speakers from many different places. The number of verb tenses presented has been extended to include, besides the present and present perfect, the preterite, imperfect, so that now all indicative tenses are presented in this book except for the future which is replaced by the <going to> (*futuro perifrástico)* in common speech. Chapter vocabularies and expressions have been added at the end for easy reference.

In addition, we have eliminated some flaws, changed many exercises in response to student and teacher suggestions, and added more varied pair and group activities as well as *TPR (Total Physical Response).*

Why a Spanish Text for Canadians?

In part, the idea grew out of frustration with available texts. They are either very expensive and geared for the American University market, or else they are incomplete, with no audio, and lacking in grammar explanation or any reference to Canadian reality. Dialogues usually take place in New York or Miami. Culture segments deal with American history or newly appointed Chicano leaders.

We have gradually become aware of factors in the Canadian experience which relate directly to the study of Spanish, such as the familiarity of Anglophones with French (at least on a superficial level) and the existence of different Hispanic immigrant communities from those south of the border, as well as some of the distinct structure of Canada's history, government, political and even linguistic reality.

Learning a Second Language

Spanish is a good choice as a second language for many reasons, some of which are discussed in the Introduction to this book. Before plunging in, however, it is important to make a commitment. Books, tapes and a teacher can help, but **ONLY YOU CAN TEACH YOURSELF SPANISH.**

You should discuss with your teacher about how much time this will require and the specific methods you will use.

The authors.

Con nuestro agradecimiento

Acknowledgements

We are grateful to our students whose enthusiasm over the years inspired us to develop this book, and to the Extension Faculty at the University of Alberta for his excellent ideas and encouragement. For helping to classroom test and improve materials, our sincere thanks go to our fellow instructors whose support and patience was much appreciated.

Warm gratitude is also due to Dr. Naldo Lombardi of *Mount Royal College* for his useful and perspicacious observations of the manuscript at an early stage, to María Teresa Varese of *Red Deer College* for her constructive suggestions, and her positive attitude towards ***Pronto y práctico.***

The CD background music belongs to the local group **Imagín.**

We would like to express our heartfelt appreciation to Angélica Allende, Mario Allende, Miguel A. Campos, Mónica Chávez, Miguel A. Cubías, Mabel de la Barra, Carlos A. Romero, Juan Ruiz y Virginia Zepeda for their talented collaboration in providing expressive native voices on the audio CD, and particularly to Sergio E. Muñoz, producer of the ***Sin fronteras*** radio program, for his superb direction and production of the CD which forms such an integral part of this program.

Ingrid y Brenda

Mapa del mundo hispanoamericano.

México

Cuba

Guatemala Honduras

El Salvador

Panamá

Colombia

Ecuador

Perú

Chile

Bolivia

Paraguay

Uruguay

Argentina

Costa Rica

Venezuela

República Dominicana
Puerto Rico

España

República
Guinea Ecuatorial

Pronto y práctico

Contenido

Table of Contents

Módulo uno   11

Capítulo preliminar A	Saludos	*Greetings*	13
Capítulo preliminar B	El calendario	*The calendar*	49
Capítulo uno	My identidad	*My identity*	63
Capítulo dos	Nuestro país	*Our country*	95

Módulo dos 123

Capítulo tres	Trabajo y placer	*Work and Pleasure*	125
Capítulo cuatro	La ciudad y el campo	*The City & the Countryside*	139
Capítulo cinco	Con sabor	*With Flavor*	157
Capítulo seis	La buena salud	*Good Health*	171

Módulo tres 187

Capítulo siete	Los negocios	*Business*	189
Capítulo ocho	Viaje de sueños	*Trip of Dreams*	207
Capítulo nueve	Artes	*Art*	223
Capítulo diez	La comunicación...	*Communications...*	239

Vocabulario

Spanish - English	256
English - Spanish	262

Módulo uno

Secciones

Lista de temas

Preliminar A
13
Nombres	Names	18
Saludos y despedidas	Greetings and Goodbyes	20
Vocabulario para la clase	Phrases for the Classroom	28
Pronunciación en español.	Pronunciation	30
Los números de 0 - 100	Numbers from 1- 100	39
Los sustantivos y los artículos	Nouns and Articles	42

Preliminar B
49
La hora	Telling time	53
El calendario		58
Interrogaciones	Interrogatives	62

Capítulo uno
63
Vocabulario	My identity vocabulary	64
Vamos a escuchar	Two introductions	66
Formación de la lengua	Pronouns and Verb To be (ser)	71
Vamos a practicar	Reading, crucigram...	88
Repaso	Review	93

Capítulo dos
95
Vocabulario	Our country vocabulary	96
Vamos a escuchar	Canada...	98
Formación de la lengua	Verb To be (estar). Verbs -ar	101
	Interrogatives, possesives	109
Vamos a practicar	Opinions, phrases...	118
Diario personal	Personal Diary	120
Repaso	Review	121

Preliminar A

Lista de temas

			página
Reading an essay in Spanish			**14**
Common Spanish names			**18**
I	Saludos y despedidas	*Greetings and Goodbyes*	**20**
II	Vocabulario para la sala de clase	*Classroom Vocabulary*	**28**
III	La pronunciación en español.	*Pronunciation*	**30**
	A: Las consonantes		**30**
	B: Las vocales		**31**
	C: El alfabeto español.		**32**
	D: *How to stress*		**38**
IV	Los números de 0 - 100	*Numbers from 1- 100*	**39**
V	Los sustantivos (nouns) y los artículos	*Nouns and Articles*	**42**
	Singular y plural		**46**

I READING AN ESSAY IN SPANISH

How do you pronounce ough in English? Circle the appropriate sound or sounds - *aw/ ee/ oo/ ah / uff / oh / i -?*

In fact, four of these sounds are correct. This example illustrates one of the major difficulties for people trying to learn English. It is not phonetic. There is a great discrepancy between written and spoken English. The same is true for French. Spanish, fortunately, is different. It is a very phonetic language. Except for the silent h (just as in French, you never pronounce the h in Spanish!), Spanish is pronounced pretty much as it is written.

The phonetic quality of Spanish is a great advantage, but there are other advantages too. These are described in the following essay, written in simple Spanish. Although you are just a beginner, you can grasp the main idea of this essay. Some students will have no trouble doing this and others will need to read it several times. Remember that patience and repetition are wonderful virtues for language learning! Read the essay to find out more about the special advantages of Spanish for Canadians. Then work out the exercises, and compare your answers with those of your classmates.

¿Por qué estudiar español?   *Why Study Spanish?*

Muchos de los habitantes de Canadá estudian español. Es una selección excelente para los canadienses. ¿Por qué? Por varias razones.

Primero, existen muchos cognados (palabras similares) en español, inglés y francés. Por ejemplo, la palabra idéntico es similar a *identical* en inglés y a *identique* en francés. Un gran porcentaje de las palabras españolas son cognados. Como consecuencia, el vocabulario en español no es muy difícil para los canadienses.

Segundo, en general, la pronunciación en español no es difícil para las personas que hablan inglés. El francés es mucho más difícil para estas personas.

Tercero, varios puntos de gramática son similares en español y francés. Muchos canadienses han estudiado francés, al menos, un poco de francés. Este estudio contribuye a la comprensión del español.

Cuarto, muchos inmigrantes de habla española entran a Canadá anualmente. Existen restaurantes mexicanos, chilenos, salvadoreños, (y de otras nacionalidades hispánicas) en Edmonton, Vancouver, Toronto, Saskatoon, Winnipeg, Calgary - ¡en muchas partes!

Quinto, el clima de Canadá es severo y desagradable (para muchos) durante los meses de noviembre, diciembre, enero, febrero y marzo. México, una nación de habla española situada en Norteamérica, ofrece un posible escape durante estos meses. Adicionalmente, España, varias islas del Caribe, Centroamérica, y Suramérica representan destinos atractivos para los turistas canadienses. La oportunidad y la aventura de comunicarse en una lengua diferente contribuye una dimensión especial al turismo.

Selecting the Main Idea.

Write **M** in front of the statement which best expresses the **main idea** of the essay, **F** in front of that is **false, S** in front of the two that represent **secondary ideas**.

____ **1.** Spanish is an important language in the world today
and is used in many places, even within Canada.

____ **2.** Spanish is a useful language that is fairly easy for Canadians to learn for several different reasons.

____ **3.** Spanish is more difficult in its vocabulary,
pronunciation, and grammar than French
or English.

____ **4.** Spanish has many words which are similar both in form and meaning to words in other languages.

Multiple Choice

Choose the correct way to finish each statement about the essay.

1. **Palabra** means   **a. word**

   b. percent

   c. language

2. Another way of saying habitantes de Canada is

   a. inmigrantes

   b. comunidades

   c. canadienses

3. A cognate (cognado) is

   a.   **a word that looks similar in two languages but has a different meaning.**

   b.   **a word that looks different in two languages but has a similar meaning.**

   c.   **a word that is similar in both form and meaning between two languages.**

4. For Canadian Anglophones, Spanish pronunciation is _____ French pronunciation.

    a.   **more difficult than**

    b.   **less difficult than**

    c.   **the same as**

5. Many grammar points in Spanish are similar to those in

    a. French   **b. German**   **c. Ukranian**

6. The essay mentions various types of ethnic restaurants now popular in some parts of Canada. One of the types mentioned is:

    a. Portuguese   **b. Cuban**   **c. Salvadorean**

7. One of the reasons mentioned for Canadian tourism to Mexico is

    a. the opportunity for trade

    b. the difference in winter climate

    c. the adventure of trying new foods

8. How many different advantages of Spanish for Canadians are listed in the essay?

    a. 3

    b. 5

    c. 8

¡Felicitaciones!
Congratulations!
You have finished
your first reading
in Spanish!

II   Nombres comunes en español
Common Spanish names

Try to explain the gist of the following paragraph.

Muchos nombres españoles son similares a nombres ingleses. Otros son muy diferentes. Por ejemplo, hay nombres de origen religioso, como Concepción, un nombre femenino en honor de la Virgen María. Vamos a usar los nombres para practicar la pronunciación en español.

EJERCICIO 1. Escuchar y repetir.   *Listening and repeating.*

Nombres masculinos

Alberto	Alejandro	Angel
Antonio	Armando	Benito
Bernardo	Carlos	César
Cristián	Diego	Domingo
Enrique	Fernando	Francisco
Gabriel	Gilberto	Guillermo
Héctor	Ignacio	Jaime
Jesús	Jorge	José
Luis	Manuel	Marcos
Mario	Miguel	Pablo
Pedro	Rodrigo	Rubén
Sergio	Vicente	Víctor

Nombres femeninos

Adriana	Amparo	Ana
Antonia	Bárbara	Camila
Carmen	Catalina	Cecilia
Concepción	Dolores	Ester
Eva	Genoveva	Inés
Irma	Isabel	Jesusa
Juana	Julia	Laura
Linda	Lucía	Luz
Magdalena	Margarita	María
Marta	Mónica	Natalia
Norma	Olga	Paula
Raquel	Refugio	Sandra
Silvia	Sofía	Susana
Teresa	Violeta	Virginia

EJERCICIO 2. Buscando semejanzas y diferencias.   *Looking for similarities and differences.*
Look at the two lists of names. Answer these questions. Scan the lists for the answers.

1. What names can you find that are exactly the same in English *(except for pronunciation)?* Are there more masculine names or feminine names that are identical?

2. What names are very different, with no common English equivalents? Which names would make it hard for a person to be accepted in Canada? Why? What do you think a person with such a name could do to make the situation easier?

3. Can you find the Spanish equivalents for the following English names?

Joe	_____	**Martha**	_____
John	_____	**Mary**	_____
Frank	_____	**Catherine**	_____
Arthur	_____	**Elizabeth**	_____
≈ James	_____	**Lucey**	_____
Paul	_____	**Jane**	_____
Peter	_____	**Natalie**	_____
William	_____	**Genevieve**	_____

4. Are there common names you want to learn with no equivalent on the chart? Ask your teacher how to say them.

5. What is the equivalent of your name in Spanish? Do you think it's a good idea to use it when meeting Spanish speaking people or not? Do you want to use a Spanish name in class? Explain.

EJERCICIO 3.   Pronunciación de palabras con acento escrito.

> **The written accent in Spanish always shows where the emphasis should go.**

Pronunciation of words with a written accent.

The main thing to remember when reading Spanish words with a written accent is this rule.

To show that you understand this rule, circle the correct way to pronounce the word simpático.

Sim-pah-tee-ko   sim-**pah**-tee-ko   sim-pah-**tee**-ko

Now practice saying the following names after listening to your teacher or the CD. Notice the stress is shown by the written accent

1. Plácido   Plácido Domingo   4. Isabel   Isabel la Católica
2. Evita   Evita Perón   5. César   César Chávez

≈ *Diego is one way to translate James. There are various ways to translate Diego,* **Santiago** *(Saint James) but another way is on the chart.*

I Saludos y despedidas
Greetings and Goodbyes

   Just as in English, there are many ways of saying hello and goodbye in Spanish. Here are some of them, with a few expressions of courtesy too. Read the following dialogues as you listen to your teacher (or the tape). **Listen** *several times first. Then* **repeat** *them.*

A.

_	Hola, Carmen, ¿qué tal?	*Hi, Carmen. How are you?*
_	Muy bien, Alfredo, ¿y tú?	*Very well, Alfredo and yourself?*
_	Excelente, gracias.	*Excellent, thank you.*

B.

Carmen

_ Ay… el libro, por favor. …

Ups... the book, please…

_ Gracias, Alfredo.

Thank you, Alfredo.

Adiós. ¡Hasta la vista!

Alfredo

_ De nada.

You are welcome

_ Bueno, ¡hasta luego!

Well, see you soon!

C.

- Hola, ¿qué tal, amigo? *Hi, how are you my friend?*
- También muy mal.   *Also very bad .*
- Sí, ¡qué lástima!   *Yes, what a pity!*

- En realidad, horrible.¿Y tú?
Actually, horrible and yourself?
- ¡Qué lástima!

D.
- Buenos días, señor López.
  Good morning, Mr. López.
- Buenos días, señora ¿Cómo está Ud.?
  Good morning, madam.How are you?
- Bien. ¿Y usted?
  Well, and yourself?
  - Bien, gracias.
    Fine, thank you.

E.

Buenas noches, señorita.

F.
- Buenos días, Amalia. ¿Qué tal?
Good morning, Amalia, how are you?
- Bien ¿Y usted?   *Well, and yourself?*
- Más o menos.   *So, so.*

EJERCICIO 1. Selecciones.

Escoja la respuesta más apropiada. *Choose the most appropriate answer.*

1. *How do you say please in Spanish?*   -de nada
                                                                                      -muy bien
                                                                                -por favor

2. *The familiar way of saying you is* **tú**. *It is used with children,*
   relatives and friends. What is the more formal way of saying you ?
   -tal
   -usted
   -hasta

3. *Which greeting is used in the afternoon or evening before the sun goes down?*
   -buenos días   -buenas tardes   -buenas noches

4. *Which greeting is used in the afternoon or evening after the sun goes down?*
   -buenos días   -buenas tardes   -buenas noches

5. *What greeting can you give at any time of the day or night?*
   -buenos días   -hola   -gracias

6. *One way to ask How are you? is* **¿Cómo está usted?** *What's another?*
   -qué tal   -adiós   -el libro

7. *How do you say What a pity! (What a shame!) in Spanish?*
   -hasta la vista   -de nada   -que lástima

8. *When you are not feeling great, but just so so, you can say, Así, así.*
What's another way of saying this?
                                                        -muy bien
                                          -en realidad, horrible
                                    -más o menos

EJERCICIO 2. La respuesta correcta.

Dé la respuesta correcta para estas frases.

Give the correct response for these expressions.

Ejemplo. Buenas noches, señor.   **Respuesta.** - Buenas noches, señora.

1. ¡Hola! ¿Qué tal?   _____   4. ¿Cómo está usted?   _____

2. Gracias.   _____   5. Buenos días.   _____

3. Hasta luego.   _____   6. También muy mal.   _____

Notas culturales

1)   Notice that in Spanish, **buenas noches** is used as a greeting and not just as a way to say good-bye, as good night is used in English. When it is not yet dark outside, **buenas tardes** is used.

2)   It is common to use two or three greetings together, such as, **Buenos días. ¿Qué tal? ¿Cómo está usted?**

3) Spanish and Latin American people often express their emotions to each other, even when they are negative, as in **Dialogue C** *(page 22)*. In your opinion, would most Canadians do this? Is this a cultural difference?

II ¿Cómo se llama usted?   - *What's your name?*

An important social function is to introduce yourself to someone new *(for example at a party)* and to ask his or her name. Basically there are two ways to do this in Spanish. The first way is quite easy for English speakers to learn because it is very similar to English.

Mi nombre es	*My name is ,,,*
¿Cuál es su nombre?	*What is your name?*

The second way is more common, but is more difficult for English speakers.

It is saying, literally, I call myself ... (María, Paco). *How do you call yourself?*

Me llamo ...	*My name is ....*
¿Cómo se llama usted?	*What is your name?*

After meeting, people usually say polite phrases:

Mucho gusto.	*Pleased to meet you*
El gusto es mío.	*The pleasure is mine.*
Encantado. *(said by a man)*	*Delighted (to meet you)*
Encantada. *(said by a woman)*	

EJERCICIO 1. Saludar y conocer.   - *Greeting and meeting.*

Now let's practice the first way of introducing yourself. Listen as your teacher or the tape pronounces the following conversation:

- Hola, mi nombre es Miguel ¿Cuál es su nombre?

- Mi nombre es Virginia.

- Mucho gusto.   - El gusto es mío.

Repeat all the phrases several times. Then substitute your own name and use the phrases to find out the names of at least four of your classmates. *Write them down here.*

1. _____ 2. _____

3. _____ 4. _____

EJERCICIO 2. Saludar y conocer.

Now practice the second way of introducing yourself. Repeat the above exercise with this conversation.

- Hola, me llamo Miguel ¿Cómo se llama usted?
- Me llamo Virginia
- Mucho gusto. - El gusto es mío.

A propósito,¿Cómo se llama su profesor/a?

By the way, What is your teacher's name?

- Mi profesor/a se llama ... _____

III Vocabulario para la sala de clase.

Here are some useful phrases for the classroom. Listen to them on the CD or when your teacher says them. Learn them. Use them.

1) ¿Cómo se dice *cat* en español?	*How do you say cat in Spanish?*
2) ¿Qué quiere decir *gato*?	*What does gato mean?*
3) ¿Cómo se escribe **hola**?	*How do you write hola?*
4) Tengo un problema / una pregunta.	*I have a problem / a question.*
5) No comprendo.	*I don't understand.*
6) No lo sé.	*I don't know (it).*
7) Despacio, por favor.	*Slow, please.*
8) Repita, por favor.	*Repeat, please.*
9) Necesito papel (un lápiz, un bolígrafo).	*I need paper (a pencil, pen).*
10) ¿Qué necesita?	*What do you need?*
11) No recuerdo.	*I do not remember.*
12) Perdón…	*Pardon… Escuse me...*

EJERCICIO 1. ¿Qué dice usted?   What do you say?

Diga una frase apropiada en español para cada situación.

Say an appropriate phrase for each situation.

Ejemplo: You want to see how the word despacio is spelled so you can write it down.
        ¿Cómo se escribe <<despacio >>?

1. The teacher has asked you a question and you haven't a clue about
   what the answer is. _____

2. You can't figure out how you are supposed to do an exercise. _____

3. The teacher has said a long word and you need to hear it again to
   understand it. _____

4. You want to know how to say *dog* in Spanish. _____

5. You want to know what the Spanish word **gato** means. _____

6. It's difficult for you to pay attention because you need clarification
   about a point of grammar the teacher just mentioned.

   _____

7. You feel that you could follow the class very well if the teacher would
   stop talking like a machine gun. _____

EJERCICIO 2. ¿Cuál es la pregunta?   *What's the question?*

Escriba las preguntas en español para las siguientes frases.

Write the question in Spanish for the following sentences.

        Ejemplo.

        Muy bien, gracias.   - ¿Cómo está usted?

        (respuesta)   **(pregunta)**

1. Quiere decir *thank you*.   _____

2. Se dice **«de nada»**.   _____

3. Se escribe **h-o-l-a**.   _____

IV   La pronunciación en español.

Unlike English, Spanish is a very phonetic language; in most cases it is pronounced the way it is written. The big exception to this rule is the letter **h** which is never pronounced. So, **hola** is said as **ola; hasta** as **asta,** etc.

A. Las consonantes

Many consonants are pronounced in Spanish the same way as we pronounce them in English. A few, such as **ñ** *(ny as in canyon)* or **j** *(like the harsh **h** in hug, hello, hope)* are very different. The double **ll** used to be considered a separate letter, but in 1993 it was declared to be two letters by the Spanish Royal Academy, RAE. It is still pronounced like the *y in yes*, or like **j** in South América.

EJERCICIO. *Pronounce the following words.*

1. jamón
2. jirafa
3. Jalisco
4. jugo
5. naranja

6. mañana
7. pequeño
8. (el) niño
9. España
10. señorita

11. llamar
12. llave
13. Sevilla
14. silla
15. lluvia

B. Las vocales

In English, each vowel can be pronounced in many different ways. In Spanish, the vowels have only one sound each. There are basically five vowels sound in Spanish. *This sound is short and crisp.* They never change tones like the vowels in English. Usually English vowels are dragged out and go down in tone. Many end with the uh sound. You can improve your Spanish accent by learning to keep your vowels from sliding. Keep them on the same tone.

A (ah as in father)

E (a as in ate)

I (ee as in feet)

O (o as in hope)

U (oo as in boot)

MIAU... MIAU

EJERCICIO. Listen as your teacher and the CD pronounce the sounds.

Imitate. *Remember short and crisp !*

hola	
e**fec**to	
alco**hol**	mon**ta**ña
gusto	**u**so
	ho**tel**
	Lima

llama	**mi**lla
prohi**bi**do	oc**tu**bre
hasta	**A**na
niño	**fue**go

C. El alfabeto español.

The Spanish alphabet was changed by the Spanish Royal Academy, a group that makes rules about the Spanish language. In part this was done to make Spanish conform more to other languages of the European community in order to simplify electronic communications.

The compound letters **ll** and **ch**, *(and at one time also* **rr***)* used to be considered separate letters but now they are not. Notice that the Spanish alphabet,while similar to the English alphabet, it is also different in some ways.

The pronunciation given here is the standard Latin American pronunciation. Some comments on regional variations are given at the end. *Read through the alphabet chart carefully.*

The consonants with sounds that are very different from English equivalents have a note mark after them and should be given special ≈ attention.

EJERCICIO. *Listen to the CD and repeat.*

Remember that repetition is the key to language learning!

Examples

Letter	Sp. name	English pronunciation	Examples
A	a	**a** as in *father.*	Ana, señora
B	be	like an English **b** , but weaker (pronounced exactly like a Spanish **v**).	Bogotá lobos
C	ce	≈ like an English **s** when followed by **e** or **i;** in other positions like an English **k**.	Barcelona, clínica
D	de	When between vowels or at the end of a word **d** is like *th* in then or the. In other positions it's similar to an English **d** .	estado usted Daniel comprendo
E	e	**a** as in *ate.*	Ecuador Chile
F	efe	like an English **f**.	fiesta funeral
G	ge	≈ when followed by **e** or **i**, like the **h** in *hot* ; in other positions, like the **g** in *go*. When **gu** is followed by **e** or **i**, it also sounded like **g** in *go* .	general, gigante gasolina, globo guitarra Guatemala

≈ *The combination* **ch** *is very common in Spanish. It used to be a letter. There are many words with* **ch**. **Chile, charango, China, chico** *(small)* **chantaje** *(blackmail),* **charro**, **chao**, *etc.*

Letter	Sp. name		English pronunciation	Examples
H	hache		Always silent	hola, alcohol, hora
I	I		**e** as in *feel*	Isabel, bien
J	jota	≈	like h in hot	José, Julia, jefe
L	ele		like an English l. Two l's **(ll)** together are pronounced like the **y** in *yes* or **j.**	Lima, papel valle, llave, silla
M	eme		like an English **m.**	mamá, Manitoba
N	ene		like an English **n.**	persona, no noticia
Ñ	eñe	≈	**ny** as in *canyon*	señorita, mañana
O	o		like an English **o** as in *open*.	Colombia
P	pe		like an English **p** *(but without a puff of air following it).*	papá, pueblo
Q	cu	≈	always followed by silent **u** and pronounced as a **k** in *kite*.	Quito, que Guayaquil

Examples

Letter   Sp. name

English pronunciation

Letter	Sp. name	English pronunciation	Examples
R	ere	between vowels or at the end of a word, like **dd** or **tt** in *butter* or *ladder*; at the beginning of a word trilled like a Spanish **rr.**	Caracas Roberto Rosa
RR	erre	trilled like **rrrr** of a child imitating a motor boat or power tool.	horrible ferrocarril
S	ese	like an English **s** as in *so*.	secretario, secreto
T	te	**t** as in *Tom* (but without a puff of air following it)	tango, tengo, gato
U	u	**oo** as in *boot*	Cuba, usted
V	ve	like an English **b**, but weaker; pronounced exactly as a Spanish b (1)	vaso, vino Victoria
X	equis	like an English **s** as in *so* like an English **x** in *exit* (2)	examen exhibición
Y	y griega	**y** as in *yes,* at the beginning of a word; **ee** as in *feet* in other positions.	Yucatán muy, y
Z	zeta	**s** as in **so** (3)	zona, luz

Some comments on Spanish pronunciation.

1) The letters **b** and **v** are pronounced exactly the same in Spanish. To distinguish between them, peoplesometimes refer to **be larga** (b) and **ve corta** (v).

2) In some regions the x is pronounced as an **s** when it comes in front of consonants. __ extensión __ exclamación

3) In some parts of Spain **c** and **z** are pronounced as the **th** in teeth. This is called the *Castillian pronunciation.*

4) In some parts of Spain, the **ll** sound is pronounced like the **li** in *million.* In Argentina and Uruguay, the **ll** is pronounced like the **szh** sound of the **j** in the French word *jamais* .

EJERCICIO 1. ¡Pronuncie y adivine!
Pronounce and Guess!

English and Spanish have many cognates *(words which are identical or very similar in form and meaning).* Practice pronouncing the following Spanish words; then guess what they mean in English.

a) **c**
Remember this letter has two sounds, just as in English,

clase	**centro**	**estación**
oficina	**provincia**	**compañía**

b) **g**
Remember this letter has two sounds also.

grupo	**geografía**	**lago**
guardia	**margen**	**guitarra**

c) **b and v**

Remember these two letters are exactly identical in pronounciation in Spanish.

beneficio	votar	abril
visita	brillante	avenida

d) **d and j**

Do not forget that **j** has a very different sound in English

justicia	medicina	universidad
consulado	objeto	japonés

e) **r and rr**

These are difficult sounds for English speakers. *Imitate the teacher or the CD.*

doctora	teatro	horrible
carro	lámpara	profesor
rápido	turista	parque

D. Where To Put the Stress.

By looking at a Spanish word, you can tell which syllable to stress. If there is a written accent mark, stress the vowel with the mark.

Examples.

Bolívar, avión, teléfono, simpático.

For words *with no written accent* marks, follow this rule.

_____

If the word ends in a *vowel, n or s,* stress the second- to-last syllable.

If the word ends in *any letter* other than a vowel, n or s, stress the last syllable.

EJERCICIO 1. ¡Descubra el grupo!   *Discover the group!*

Which group(s) of words have the stress on the last syllables?

Which group(s) have the stress on the second-to-last syllables? *Why?*

group 1	group 2	group 3
comprenden	David	planeta
hablamos	español	madre
oficinas	hablar	industrioso

Reasons?

_____   _____   _____

EJERCICIO 2. La sílaba acentuada   *The stressed syllable*

Underline the stressed syllable of each word. *Then pronounce the words.*

avenida	bueno	doctor
termómetro	español	hospital
plantas	examen	chocolate

V   Los números   (0 - 100)

A)   *0 - 30*

Listen to the tape and repeat the numbers.

0	cero		
1	uno (un/una)	11	once
2	dos	12	doce
3	tres	13	trece
4	cuatro	14	catorce
5	cinco	15	quince
6	seis	16	diez y seis (dieciséis)
7	siete	17	diez y siete (diecisiete)
8	ocho	18	diez y ocho (dieciocho)
9	nueve	19	diez y nueve (diecinueve)
10	diez	**20 veinte**	

21 veinte y uno, veintiuno
22 veinte y dos, veintidós
23 veinte y tres, veintitrés
24 veinte y cuatro, veinticuatro
25 veinte y cinco, veinticinco

26 veinte y seis, veintiséis
27 veinte y siete, veintisiete
28 veinte y ocho, veintiocho
29 veinte y nueve, veintinueve
30 treinta

Numbers do not change to agree with words following them, except for uno which drops the o before masculine words and uses an a before feminine words.

Ejemplos.
un auto / veinte y un autos.
una familia / veinte y una familias.

B) 30 - 100

31 treinta y uno   35 treinta y cinco

32 treinta y dos   36 treinta y seis

33 treinta y tres   37 treinta y siete

34 treinta y cuatro   38 treinta y ocho

39 treinta y nueve   **40 cuarenta**

> After treinta, there are no single-word alternatives. All three words are used separately, such as treinta y uno, cuarenta y cinco, cincuenta y ocho, etc. Notice that veint**e** ends in **e**, but treint**a**, cuarent**a**, cincuent**a**, sesent**a**,

41 cuarenta y uno	44 _____	47 _____
42 cuarenta y _____	45 _____	48 _____
43 c_____	46 _____	49 cuarenta y nueve

50 cincuenta

60 sesenta

70   setenta

80 ochenta

90   noventa

100   cien

101 ciento uno

102   ciento dos

103 ciento tres

149 ciento cuarenta y nueve

180 ciento ochenta   ≈

> *The number one hundred is* **cien**.
> *When combined with other numbers, it is* **ciento**, *e.g.,* **ciento quince** *(115).*
> *There is no* **y** *after* **ciento**.

≈   *Numbers 199 and up will be studied in Chap. 7 with bussiness.*

EJERCICIO 1. Frases con números

Read the following phrases in Spanish.

1) 4 plantas
2) 55 parques
3) 17 taxis
4) 46 clínicas
5) 35 turistas
6) 18 naciones

7) 70 personas
8) 89 doctores
9) 13 pianos
10) 20 señoritas
11) 9 padres
12) 6 guitarras

EJERCICIO 2. Vamos a contar.

a) Count from 1 to 50, each person taking a number.

b) Now count by 5 to 100.

c) Start at 7 and count by tens to 97.

d) Finally, al revés (backwards) from 30 to 1.

EJERCICIO 3. Problemas

Read each of the following arithmetic problems aloud. Then tell if it is right (bien) or wrong (mal). If the problem is wrong, give the correct answer in Spanish.

+ mas   - menos   x por   = son

1) seis + cinco = once
2) seis x dos   = quince
3) siete + cuatro = trece
4) ocho x dos = diez y seis
5) veinte + treinta = noventa
6) noventa - dos = setenta

7) noventa - treinta =cuarenta
8) cincuenta x dos = noventa y dos
9) diez + siete = diez y siete
10) trece + tres = diez y nueve
11) catorce - cero = quince
12) diez y ocho - diez y siete = dos

EJERCICIO 4. Espacios en blanco.

Fill in the blanks. Read the problems aloud.

1. siete + _____ = trece

2. cinco x _____ = cuarenta

3. veinte - _____ = diez

4. seis + _____ = veinte y seis

5. noventa y tres - _____ = ochenta y siete

6. sesenta y uno + _____ = noventa y uno

7. ocho x _____ = cincuenta y seis.

VI Los sustantivos y los artículos.   *Nouns and Articles*

Nouns are words that refer to persons, places or things. In Spanish all nouns are either masculine or feminine. Not just persons, but even places and things have gender. Articles *(the, a)* are also either masculine or feminine in Spanish. The definite article the has four forms, and so does the indefinite article *a, an.*

The			*A, an*	
	el	masculine singular		un
	la	feminine singular		una
	los	masculine plural		unos
	las	feminine plural		unas

 el libro

 los libros

 la silla

 las sillas

You have already seen that **un/una** means one. It is also the indefinite article in Spanish and means *a* or *an* . It has two forms.

a / an   **un** (masculine singular)   **una** (femenine singular)

In Spanish there also are two plural forms, unos and unas that mean *some* or *several.*

unos (masculine plural)   **unas** (feminine plural)

 **un árbol**
a tree

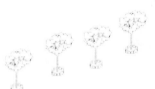 **unos árboles**
some trees

 **una mesa**
a table

  **unas mesas**
several tables

How can you tell if a noun is masculine or feminine?

Sometimes you have to guess, but there are some general rules to guide you.

el vocabulario

el motor

el problema

la palabra

la oportunidad

la pronunciación

1) Most nouns ending in
-o, -or and -ma
are masculine.

2) Most nouns ending in
-a, -dad or -ción
are feminine.

≈

These rules work pretty well, but there are a few common exceptions:

el día *(day),* **la flor** *(flower),* **la mano** *(hand),* **el mapa** *(map)*

With nouns that do not end in -o, -or, -ma, -a, -ción, or -dad, it
can be helpful to learn the definite article when you learn the noun.

el hotel   **el parque**   **la noche**

Nouns referring to people have a natural gender. Some can be changed by
changing the noun ending: o to a

el hombre the man   **la mujer the woman**

el secretario/la secretaria   **el doctor/la doctora**

However, for some nouns the ending does not change, and the gender of
the person is shown only by the article.

un policía/una policía   **el modelo/la modelo**

All nouns ending in -ista have the same form for masculine and femenine.
They do not change.

un turista/una turista   **el artista/la artista**

un ecologista/ una ecologista   **el dentista/ la dentista**

≈ *Almost all words ending with ma have a Greek origin:* **sistema, clima, programa,**
poema, idioma, dilema, enigma, drama, esquema, trauma, *etc. Do not forget they are*
masculine!

EJERCICIO 1. ¿El o la?

Give the appropriate article for each noun to say *the.*

1. _____	doctora	7. _____	hotel
2. _____	banco	8. _____	problema
3. _____	secretario	9. _____	tutor
4. _____	pronunciación	10. _____	persona
5. _____	libro	11. _____	día
6. _____	actividad	12. _____	mano

EJERCICIO 2. ¿El, la, los o las?

Give the appropriate articles to say **the.**

_____ motores
_____ señorita
_____ flores

_____ universidad
_____ nación
_____ clima

_____ supermercado
_____ piano
_____ mesas

EJERCICIO 3. ¿Un o una?

Supply the appropiate articles to say *a / an.*

_____ clínica	_____ conductor	_____ idea
_____ señor	_____ fiesta	_____ bicicleta
_____ familia	_____ mujer	_____ nación
_____ calle	_____ avenida	_____ parque

Singular y Plural.   *One or More?*

The plural of nouns ending in a vowel is formed by adding **s**.

libro / libros   restaurante / restaurantes

manos / manos   calle / calles

The plural of nouns ending in a consonant is formed by adding **es**.

universidad / universidades   hospital / hospitales

estación   / estaciones   plan / planes

Notice that the accent mark from -ción is dropped in the plural.

A final **z** must be changed to **c**, before adding **-es**:

lápi**z** / lápi**ces**   pe**z** / pe**ces**

ve**z**   /   ve**ces** *(once/ sometimes)*

The masculine plural of nouns is used for referring to groups that
include both genders:

el niño   the boy

la niña   the girl

las niñas   the girls

los niños   the boys   or   *the children, the boys and girls*

el doctor   the male doctor

la doctora   the female doctor

las doctoras   the female doctors

los doctores   the male doctors or the female and male doctors

el señor González   Mr. González

la señora González   Mrs. González

los señores González   Mr. and Mrs. González.

las señoras   the ladies

los señores   the gentlemen

EJERCICIO 1. Singulares y plurales

A. Write the plural form, *including the article.*

Modelo. la clínica /   las clínicas

1) la actividad   _____

2) el libro   _____

3) la estudiante   _____

4) la nación   _____

5) el sombrero   _____

6) una bicicleta   _____

7) una mujer   _____

8) un problema   _____

9) un día   _____

10) un restaurante   _____

11) el nombre   _____

12) un señor   _____

13) el avión   _____

14) un parque   _____

15) una noche   _____

16) la madre   _____

17) el padre   _____

18) una guitarra   _____

19) la turista   _____

20) una avenida   _____

B. Write the articles.

el, la / un, una

1) _____ clase

2) _____ profesora

3) _____ lago

4) _____ vino

5) _____ secretario

6) _____ programa

7) _____ mañana

8) _____ persona

9) _____ papá

10) _____ pueblo

11) _____ llave

12) _____ mamá

13) _____ pueblo

14) _____ fiesta

15) _____ patio

16) _____ montaña

17) _____ siesta

18) _____ silla

19) _____ árbol

20) _____ naranja

21) _____ provincia

22) _____ idioma

He always thought of the sea as - la mar *- which is what people call her in Spanish when they love her. Sometimes those who love her say bad things of her but they are always said as though she were a woman....*

Some of the younger fishermen... spoke of her as - el mar *- which is masculine. They spoke of her as a contestant or a place or even an enemy. But the old man always thought of her as feminine.*

The Old Man and the Sea - Ernest Heminway

Capítulo Preliminar - B

Lista de temas

			página
I	Una estructura importante.	*An important structure*	
	Hay & No hay	***There is/are*** and ***There isn't /aren't***	50
II	**La hora**	*Telling Time*	53
III	**El calendario.**	*The calendar*	58
	A. Los días de la semana.	*The days of the week*	58
	B. Las cuatro estaciones y los doce meses del año.		59
	C. La fecha	*The date*	60
IV	**Interrogaciones**	*Interrogative Expressions*	62

I   Una estructura importante.   Hay / no hay.

An important structure.   There is, there are.   There is not /there are not.

Hay   ¿ . . . ?   No hay

Hay means either there is or there are . It keeps the same form in singular and plural. Do not think that **hay** is only *there* : it means ***there is*** or ***there are.***

Ejemplos.	Hay un libro en la mesa	There is a book on the table.
	Hay libros en la mesa	There are books on the table.
	No hay café	There is not any coffee.
	No hay estudiantes.	There are no students.

EJERCICIO 1.   ¿Hay o no hay?

Answer the following questions according to the model.

¿Hay un gato en la mesa?   *Is there a cat on the table?*

- No, no hay un gato en la mesa.   *No, there is not a cat on the table.*

1.   ¿Hay un sombrero en la mesa?
2.   ¿Hay bananas en la mesa?
3.   ¿Hay un elefante en la mesa?
4.   ¿Hay una planta en la mesa?
5.   ¿Hay dos guitarras en la mesa?
6.   ¿Hay tres flores en la mesa?
7.   ¿Hay un libro en la mesa?
8.   ¿Qué hay en la mesa?

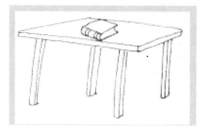

A very important note: **Hay** could be followed by a number (uno, dos, tres...), but never by articles *(the or a/an).This form is commonly used in Spanish.*

This structure is the most practical for asking and answering ≈
questions during your next trip to Spain or Latin America.

Ejemplos.

¿Hay **un** hotel cerca?*(near)* _ Sí, hay **un** hotel.

¿Hay agua caliente? _ No, no hay agua caliente.

¿Hay jugo de naranja? _ Sí, hay jugo de naranja.

¿Hay café en la cafetería? _ No, no hay café ahora.*(now)*

¿Hay **un** banco cerca? _ Sí, hay **dos** bancos cerca del hotel.

EJERCICIO 2. Vamos a observar.

Look at the illustration and answer the questions in complete sentences.

a) ¿Hay un señor en el parque?

b) ¿Hay flores en el parque?

c) ¿Hay árboles en el parque?

d) ¿Hay bicicletas en el parque?

e) ¿Hay una señora?

f) ¿Hay taxis?

g) ¿Hay niños?

h) ¿Hay un sombrero?

≈ *The structure is exactly the same in questions and answers. Change the* **tone** *of your voice. Practice different questions with your instructor.*

EJERCICIO 3: ¿Cuántos? ¿Cuántas?   *(How many?)*

Look at the picture. Then answer the questions.

Ejemplo.   ¿Cuántos libros hay en la mesa?   __ Hay tres libros

1) ¿Cuántos estudiantes hay en la clase?

2) ¿Cuántas mesas hay en la clase?

3) ¿Cuántas puertas hay en la clase?

4) ¿Cuántos profesores hay en la clase?

5) ¿Cuántas ventanas hay en la clase?

6) ¿Cuántos hombres (men) hay en la clase?

7) ¿Cuántas mujeres (women) hay en la clase?

8) ¿Cuántas pizarras hay en la clase?

EJERCICIO 4. En la clase.

Now look around the class. Work with a partner, asking and answering the same questions about your classroom.

II   La hora   *Telling Time*
¿Qué hora es?   *What Time Is It?*

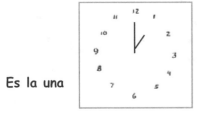

Es la una

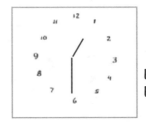

Es la una y media
Es la una y treinta

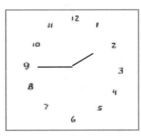

Es la una y quince
Es la una y cuarto

Son las dos
menos cuarto.

Notice that es is used only with one o'clock; son is used with 2 to 12 o'clock.

Ejemplos.

Es la una.   *It is one o'clock.*
Son las cuatro   *It is four o'clock*

EJERCICIO 1.   ¿Qué hora es?

After studying the pictures, tell in Spanish what time it is on the following clocks.

 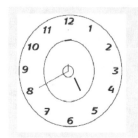 

Expresiones útiles

de la mañana	*in the morning*
de la tarde	*in the afternoon*
de la noche	*in the evening*
	at night
la medianoche	*midnight*
el mediodía	*noon*

EJERCICIO 2. Vamos a completar.

Using the illustrations as clues, fill in the blanks appropriately.

**Hay mucho tráfico
en las avenidas.
Son las ___ y _____ .**

**___ ¿de la mañana
o de la tarde?**

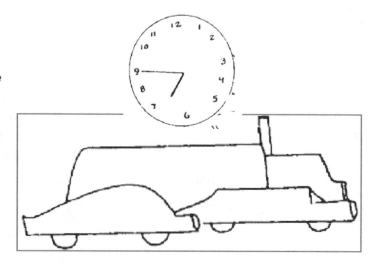

Hay una luna enorme,
muchas estrellas y
un profundo silencio.

Es la _____

o ...

Son las _____ de
la noche.

Hay un sol brillante.

Son las _____

menos _____ de

_____ _____.

EJERCICIO 3. Con el reloj digital. *With the digital clock.*

Tell what time it is on the following digital clocks. Remember to say all the numbers.

Modelo.   7:40   _ Son las siete y cuarenta.

a) 7: 45 _____

b) 1:35 _____

c) 9: 30 _____

d) 9:20 _____

e) 12:40 _____

f) 6:05 _____

EJERCICIO 4. Por favor, ¿qué hora es?

One person goes to the front and draws a clock on the board and puts in the long hand and the short hand and asks: **< por favor, ¿qué hora es? >** *The person who answers correctly takes a turn, and so on.*

La hora en Canadá.

La hora en Canadá cambia en casi *(almost)* **todas las provincias.**
Observe el mapa con las diferentes horas.

¿Qué hora es en Vancouver?

¿Qué hora es en Toronto?

¿Qué hora es en Newfoundland?

¿Qué hora es en St. John? *(NB)*

Si *(if)..* es el mediodía en Vancouver,

¿Qué hora es en Edmonton?

¿Qué hora es en Toronto?

¿Qué hora es en Halifax?

III   El calendario

A: Los días de la semana   *The Days of the Week*

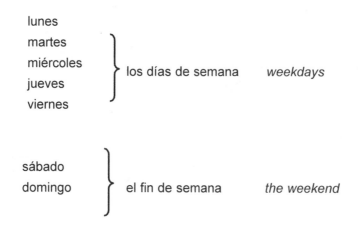

lunes
martes
miércoles
jueves
viernes

} los días de semana   *weekdays*

sábado
domingo

} el fin de semana   *the weekend*

Since Spanish people think of the week as beginning on Monday (rather than on Sunday), their children memorize the days of the week with the following jingle.

> " Lunes y martes y miércoles tres,
>   jueves y viernes y sábado seis;
>   y domingo siete."

Hoy, mañana y pasado mañana
Today, tomorrow and the day after tomorrow

EJERCICIO 1.   Hoy y mañana

Conteste las preguntas. *Answer the questions.*

Ejemplo. Hoy es martes, ¿qué día es mañana?

          - Mañana es miércoles.

1. Hoy es viernes, ¿qué día es mañana?
2. Hoy es miércoles, ¿qué día es mañana?
3. Hoy es domingo, ¿qué día es mañana?
4. Hoy es jueves, ¿qué día es mañana?
5. No hay mucho tráfico, ¿qué día es (probablemente)?
6. ¿Qué día es hoy realmente? ¿Qué día es mañana?
7. ¿Cuál es su día favorito?   _ Mi día favorito es...

B   Las cuatro estaciones y los doce meses del año.
The Four Seasons and the Twelve Months of the Year.

Mire. Escuche. Repita.   *Look . Listen. Repeat.*

el invierno

la primavera

nubes

nieve

enero
febrero
marzo

abril
mayo
junio

sol

hojas

el verano

el otoño

julio
agosto
septiembre

octubre
noviembre
diciembre

EJERCICIO 2. Respuestas rápidas.

1. ¿Qué hay en primavera?
2. ¿Qué hay en invierno?
3. ¿Cuál *(Which)* estación es su favorita?   _ Mi estación favorita es...
4. ¿Cuántos meses hay en un año?
5. ¿Cuántos días hay en un mes?
6. ¿Cuántas estaciones hay en un año?
7. ¿Cuántas semanas hay en un mes? ¿en un año?

Expresando las fechas en español.

Regular numbers(1,2,3) are used to express dates in Spanish, not ordinal numbers (1st, 2nd, 3rd) as in English.   The only exception to this rule is the first day of each month which is el primero (the first).   Compare.

el primero de mayo	*May first*	*(the first of May)*
el dos de mayo	*May second*	*(the second of May)*
el quince de julio	*July fifteenth*	

¿Qué fecha es hoy?   **What's today's date?**

 - Hoy es el veinte y seis de junio.   *Today is June twenty - sixth.*

En realidad, ¿qué fecha es hoy?

_____

¿Cuándo es su cumpleaños? *(your birthday?)*

_____

EJERCICIO 2. Hablando de fechas.   *Talking about Dates*

Algunas fechas importantes.

Días feriados   *(Holidays)*   **Fechas**

1. Navidad *(Christmas)* _____
2. El día de Canadá _____
3. El cumpleaños *(birthday)* de la Reina Victoria _____
4. El día de San Valentín _____
5. El día de San Patricio (en honor a los irlandeses) _____
6. El día de Acción de Gracias *(Thanksgiving Day)* _____
7. El comienzo *(beginning)* oficial de la primavera _____
8. El comienzo oficial del otoño _____

IV   Interrogaciones.

This is a very practical manner to learn how to make questions in Spanish.

You will learn more about these forms in Chapter 2.

¿Quién? ¿Quiénes?	*Who?*
¿Qué?	*What?*
¿Cuál? ¿Cuáles?	*Which?*
¿Dónde?	*Where?*
¿Adónde?	*[to] Where?*
¿Cuándo?	*When?*
¿Por qué?	*Why?*
¿Cómo?	*How?*
¿Cuánto? ¿Cuánta?	*How much?*
¿Cuántos? ¿Cuántas?	*How many?*

Capítulo uno

Nuestra identidad
Our Identity

Lista de temas

			página
Vocabulario activo			
Elementos de la identidad			**64**
Vamos a escuchar			
Conversaciones, entrevistas.		*Interviews*	**66**
Mis parientes y yo (la familia)			**68**
Formación de la lengua			
I	Los pronombres personales	*Personal pronouns*	**71**
II	El verbo ser y sus usos	*Using **To be***	**73**
III	Los adjetivos y sus formas	*Adjectives*	**79**
IV	Los colores		**82**
V	El verbo tener	*Verb **To have***	**84**
V	Las contracciones al y del	*Two contractions*	**87**
Vamos a practicar			
Lectura. Me llamo María Lozano		*Reading*	**90**
Repaso		*Review*	**93**

Vocabulario activo. Elementos de la identidad

¿En qué consiste la identidad de una persona? Hay varios factores importantes: el nombre, la familia, el sexo, el origen (la cultura), la profesión.

Read the words in the vocabulary list below and guess the meaning of the cognates. Imitate the pronunciation of the CD or your instructor.   Ask about other words you need to describe your own situation, and write them down .

La familia: el padre, la madre, los hijos.

El sexo.
femenino - una mujer
masculino - un hombre

(Origen) Nacionalidad   ≈

Profesión

alemán/alemana	*(German)*	abogado/a	*(lawyer)*
argentino/a		comerciante	*(business person)*
canadiense		consultor/a	
chileno/a		contador/a	
chino/a	*(Chinese)*	dentista	
escocés/escocesa	*(Scottish)*	empleado/a	*(employee)*
español/a		de un banco,	*(of a bank)*
estadounidense	*(from USA)*	de una firma, una oficina	
francés/francesa		estudiante	
inglés/inglesa	*(English)*	gerente	*(manager)*
irlandés/irlandesa		ingeniero/a	*(engineer)*
japonés/japonesa		médico/a	
mexicano/a		periodista	*(journalist)*
polaco/a		investigador/a	
ruso/a		profesor/a	
salvadoreño/a		técnico/a	*(technician)*
ucraniano/a		vendedor/a	*(salesperson)*
		enfermero/a	*(nurse)*

≈ *Go to page 9 and observe the map. Repeat the nacionalities with your instructor.*

Yo soy	I am
Tú eres	You are
Usted es	You are (formal)

EJERCICIOS.   Vocabulario. ¿Quién es Ud.? *Who are you?*

A.   *Answer according to the model. Then continue with other questions using the vocabulary from the list.*

Modelo. - ¿Es Ud. canadiense?	*Are you a Canadian?*
- Sí, soy canadiense.	*Yes, I am a Canadian*
- No, no soy canadiense.	*No, I am not a Canadian*

¿Es Ud. ...

1. alemán (alemana)?
2. inglés (inglesa)?
3. polaco (polaca)?
4. ruso (rusa)?

5. abogado (abogada)?
6. contador (contadora)?
7. comerciante?
8. empleado/a de un banco?\

B. *There is another way to ask about nationality. Follow the model.*

¿De dónde es usted?   **Soy de Canadá**

Soy de Francia, de Quebec, de Estados Unidos..

Ask several classmate where they are from.   **Ejemplo:** ¿Eres tú canadiense?

C. Trabaje *(work)* **con su compañero/a.**

1. ¿Cuál es tu nacionalidad?   - Soy...
2. ¿Cuál es tu profesión?   - Soy...
3. ¿Cuál es la nacionalidad de tu madre?   - Mi madre es...
4. ¿Cuál es la nacionalidad de tu padre?   - Mi padre es...

Dos conversaciones. Vocabulario preliminar.

Estados civiles -Marital Status

el esposo	*the husband*
la esposa	*the wife*
compañero/a	pareja
	significant other

soltero/a	*single person*
casado/a	*married person*
divorciado/a	*divorced person*
viudo/a	*widower, widow*
separado/a	*separated person*

bueno/a	*good*
como	*like, as*
con	*with*
mi, mis	*my*
su, sus	*his, her, your*
muchos, muchas	*many*
muy	*very*
o, y	*or, and*
¡por supuesto!	*of course !*
¿Quién soy?	*Who am I?*
también	*also*

Conversación A.   Adriana Benavides García.

¿Quién soy? Una pregunta interesante. ¿En qué consiste la identidad? Hay varios factores importantes: el sexo (¿hombre o mujer?), el origen, la familia, el trabajo… y __ ¡por supuesto! __ el nombre.

Me llamo Adriana Benavides García. Soy mujer.   Soy de Canadá. Mi madre es salvadoreña y mi padre es de México. Soy abogada con especialización en los casos de divorcio. Soy casada. Mi esposo es comerciante. Soy madre de una hija y dos hijos.

Conversación B.   Eduardo Flanagan

¿Quién soy? Bueno, un hombre común. Me llamo Eduardo Flanagan. Soy canadiense, pero mi padre es chileno. Chile es una nación de inmigrantes como Canadá. En Chile hay muchas personas con nombres irlandeses, alemanes, franceses, ingleses... Soy padre de un hijo y una hija. Mi familia es importante en mi vida. También mi profesión es una parte esencial de mi identidad.

Soy carpintero. Soy un carpintero ambicioso, honesto, cómico y sentimental.

EJERCICIO 1. Verdad o mentira *(True or False)*

Write truth **(verdad)** *or lie* **(mentira)** *for each statement.*

Correct the statements that are false.

1 _____   El nombre completo de Adriana es Adriana García

2 _____   Su madre es de El Salvador.

3 _____   Adriana es divorciada.

4 _____   Su padre es de Canadá.

5 _____   Adriana es madre de un hijo y dos hijas.

6 _____   Eduardo Flanagan es irlandés.

7 _____   Su padre es de Chile.

8 _____   Chile es una nación de inmigrantes.

9 _____   Eduardo es padre de dos hijos.

10 _____   En su vida profesional, Eduardo es ...

vendedor de autos.

Mis parientes y yo.   La familia

abuela
abuelo
abuelos

madre
padre
padres

tía
tío
tías

tía
tío
tíos

hermano

primo

prima   hermana

hijo
hija
hijos

nieto
nieta
nietos

Yo

¡Hola!

Yo soy _____ de mi madre y _____ de mis abuelos.

Mi prima es _____ de mis _____ .

Mi padre es _____ de mis _____ y _____ de mi madre.

EJERCICIO 1. Mis parientes My relatives

Mire la ilustración. Luego, escriba las palabras en español para los siguientes parientes. *Look at the illustration. Then write the Spanish names for the next relatives.*

La familia

my grandmother	_____	my brother	_____
the grandfather	_____	the sister	_____
my grandparents	_____	my siblings	_____
the husband	_____	the father	_____
the wife	_____	the mother	_____
my cousin *(female)*	_____	the uncle	_____
the grandson	_____	his children*	_____

*** Notice** that are two words for children in Spanish, one that starts with **h** and means children in relation to their parents and one that starts with **n** and means children in general.*

EJERCICIO 2. Completar

1) La hermana de mi madre es mi _____ Camila.

2) Mi tía Camila es casada con mi _____ Manuel.

3) Ellos tienen *(have)* un hijo. El es mi _____ Javier.

4) Mi abuela es la esposa de mi _____ Sebastián y son los padres de mi _____ que se llama Natacha.

5) Mi _____ Virginia y mi hermano pequeño son mis hermanos.

6) Mis primos Tomás y Eva son _____ de mis abuelos también.

Vamos a escuchar.

Entrevistas - *Interviews*

Listen three times to the interviews on the CD. Then do the exercise.

1) El sitio *(place)* de las entrevistas es

    a.   la universidad

    b.   un parque

    c.   un centro comercial

2) Las tres personas en las entrevistas son

    a. tres mujeres

    b. dos hombres

    c. dos mujeres y un hombre

3) Oscar Aguirre es

    a. abogado

    b. médico

    c. comerciante

    d. gerente

4) ¿Cómo se llama la estudiante de la secundaria?

    a. María

    b. Raquel

    c. Angela

    d. Natalia

5) Su madre es de

    a. Perú

    b. Canadá

    c. Chile

    d. España

6) Natalia tiene

    a. dos hijas

    b. dos hijos

    c. una hija

    d. un hijo

Formación de la lengua.

Practicing the skills of speaking and listening are important. It is equally important to learn about the structure of Spanish, especially about the ways it differs from English. This will help you to "hang on" to the Spanish language during times when you don't use it. This is not a grammar-driven course, but it includes explanations and exercises with grammatical points that are essential to practical use.

An important difference.

One important way in which Spanish is different from English and French is shown in the following examples.

Compare

I am a dentist. (English)

Je suis dentist. (French)

Soy   dentista.   *(Spanish)*

What's the difference?

Describe it here:

_____

Spanish has personal pronouns, but they are often omitted because they are not really necessary since the verb ending indicates the subject. Personal pronouns are used for emphasis or clarification. Imagine that someone says to you. "Your brother is a dentist, isn't he?" You want to clarify that you are the dentist, not your brother. So you use **yo,** (I).

Yo soy dentista, mi hermano no.   *I am the dentist, not my brother.*

Los pronombres personales.   *The personal pronouns.*

yo	*I*	**nosotros/as**	*we*
tú	*you*	**vosotros/as**	*you all*
usted	*you* (formal)	**ustedes**	*you all*
él	*he*	**ellos**	*they* (masculine)
ella	*she*	**ellas**	*they* (feminine)

Yo ...

ellos

Nosotros

Notice that there are four different ways to say *you* in Spanish.
Write them in the appropriate places.

1. the formal way *(to a stranger).*   _____

2. the formal way   _____
 (to more than one stranger).

3. the intimate way   _____
 (to a friend, close family member or to any young child).

4. the familiar plural   _____
(to more than one friend, close relatives or two or more children,

but only in certain parts of Spain).

This form will not be practiced in this course because of its limited use.

EJERCICIO 1. Las personas.

Escriba los pronombres apropiados.

Write the appropriate personal pronoun for each number.

1. *we*   (tres mujeres)   _____   5. *you*   (a mis dos amigos)   _____

2. *they* (Juan y Antonio)   _____   6. *he*   (Jean Chrétien)   _____

3. *you*   (mi madre)   _____   7. *they* (Juan y Amalia)   _____

4. *you*   (Pepito, de tres años) _____   8. *I*   _____

9. José   _____   10. *you and I*   _____

11. Mario y Angélica   _____   12. *you and David*   _____

13. Todos *(everybody)*   _____   14. *Carmen and I*   _____

II   El verbo ser y sus usos

1. yo)	**soy**	*I am*
2. tú)	**eres**	*you are (familiar)*
3. él,		he is
ella,	**es**	she is
usted *(Ud.)*		you are *(formal)*

1.	nosotros/as)	**somos**	we are
2.	vosotros/as)	**sois**	you folks are
3.	ellos		they are *(masculino)*
	ellas,	**son**	they are *(femenino)*
	ustedes *(Uds.)*		you are

The use of the personal pronouns with verbs.

As we have already said, personal pronouns are generally not used with verbs in Spanish because the verb ending tells us the subject. However, they are often used with the third person of verbs, for example, with **es** and **son**.

Can you guess why? Write an explanation here _____.

Be sure to notice that **usted** and **ustedes,** although refering *"to you,"* are used with the third person forms of the verbs, not with the second person. These words may be written or the above abbrebiations may be used but the words are still pronounced the same way - **usted, ustedes.**

This means that the difference between **tú** and **usted** appears not just in the pronoun but in all verb forms used with them.

Abbreviations for usted and ustedes

usted	=	Ud. / Vd.
ustedes	=	Uds. / Vds.

EJERCICIO 1. Translate the following sentence.

You are Canadian, eh? for the 3 different occasions.

1.   To a small child   _____

2.   To a police officer who has
stopped you for speeding   _____

3.   To a man and woman you are
talking to in line at the bank.   _____

EJERCICIO 2. Las formas de ser.

1. El nombre de mi amiga _____ Malinka.

2. Yo _____ de Inglaterra y ella _____ de Rusia.

3. Ahora, ella y yo _____ canadienses.

4. Malinka _____ contadora y su madre _____ dentista.

5. El padre de Malinka _____ el gerente de un hotel famoso.

6. Los cinco hermanos (brothers and sisters) de Malinka _____
muy inteligentes.

7. Las dos hermanas _____ estudiantes y los tres hermanos _____
comerciantes.

8. La madre y el padre de Malinka _____ ambiciosos y los hijos también.

9. La madre de Malinka me pregunta (asks me) - ¿ _____ tú ambicioso?

10. Mi respuesta (My reply) - No, no _____ muy ambicioso.

11. Para mí (For me), la familia y los amigos _____ más importantes que
(more important than) el trabajo.

12. ¡Ustedes y yo _____ diferentes!

II   El verbo ser y sus usos   *The verb ser and its uses*

≈

Ser is one of two Spanish verbs that mean *to be*.
You have already used the other verb **estar.**

¿Cómo **está** Ud.?   ___   Estoy bien.

≈ **Estar** *will be studied more in Chapter 2.*

SER is used:

1. To identify a person, place or thing. Nationality, profession, origin, what something is made of, whom it belongs to, religion, etc.

___ Soy canadiense   *I am Canadian*

___ ¿Eres mi amigo?   *Are you my friend?*

___ La casa es de madera.   *The house is (made) of wood*

___ Somos estudiantes   *We are students*

___ ¿De dónde es Ud.?   *Where are you from?*

2. To express time, day, date and prices

___ ¿Qué día es hoy?   ___ Es el 27 de septiembre

___ ¿Es martes hoy?   ___ No; es lunes, y son las cinco de la tarde.

___ ¿Cuánto es la docena de rosas?   ___ La docena es 50 pesos.

3. To indicate when or where an event takes place.

___ La fiesta es en casa de Martín.   *The party's at Martin's.*

___ ¿Cuándo es?   *When is it?*   ___ Es el viernes.

4. To express qualities or characteristics.

___ Mi madre es tímida.   ___ Sí, y es inteligente también.

___ ¿Es guaposu primo ?.   ___ ¡Por supuesto! Es guapo y muy inteligente..

≈ *The verb* **ser** *is used to express location only for events: parties, meetings, concerts, celebrations, etc. To express the location of concrete objects: houses, cities, mountains, etc.* the verb **estar** *is used.* **This will be studied in Chapter 2.**

EJERCICIO 1.   ¿Quién es? ¿Qué es? ¿Cuándo es? ¿Cómo es?

Conteste las preguntas en español.

1. ¿Qué día es hoy? ¿Qué día es mañana?   _____

2. ¿Qué hora es en este momento?   _____

3. ¿Quiénes son Uds.? ¿Son estudiantes o profesores? _____

4. ¿Quién es el profesor o la profesora de esta clase? _____

5. ¿Quién es el Premier de la provincia?   _____

6. ¿Quién es el Primer Ministro de Canadá en este momento? _____

7. ¿Cuándo es la clase de español? ¿Lunes o martes?   _____

8. ¿A qué hora es la clase? ¿A las ocho de la mañana o de la tarde? _____

9. ¿Cómo es la clase? ¿Es grande o pequeña?   _____

10. Y ustedes, ¿cómo son? ¿Son inteligentes y guapos?   _____

Un poco de vocabulario.
Materiales diversos. Observar.

cemento	concrete	plástico	plastic
estuco	stucco	ladrillo	brick
madera	wood	metal	metal
oro	gold	plata	silver
papel	paper	piedra	stone
tela	cloth	vidrio	glass

Ejemplos.

El reloj **es** de plata.   *The watch is made of silver*
                                 Literally *- The watch is of silver.*

Los libros **son** de papel.   El libro **es** de papel.

La casa **es** de piedra.   Las casas **son** de piedra.

El lápiz **es** de plástico.   los lápices **son** de plástico.

EJERCICIO 2.   ¿De qué es? Complete las frases

1. Las casas de la ciudad   son de _____

2. Mi reloj   _____   _____

3. Las mesas de la clase   _____   _____

4. Este edificio *(this building)*   _____   _____

5. Las botellas   _____   _____

6. Mi silla   _____   _____

7. La chaqueta *(jacket)*   _____   _____

8. Las llaves   _____   _____

9. La blusa   _____   _____

10. ¿Y nosotros?

___ Somos «de carne y hueso»
___   *"of flesh and bone"*
A bit different from the English idea!

EJERCICIO 3. Entrevista

Trabaje (work) con un compañero o compañera con estas preguntas.

1) ¿Cuál es tu nombre?   Mi nombre _____

2) ¿De dónde eres tú?   _____

3) ¿Cuál es tu profesión?   _____

4) ¿Qué día es la clase de español?   _____

5) Por favor, ¿qué hora es?   _____

6) ¿De qué es tu lápiz, libro, etc?   _____

   (Literally - Of what is your pencil, book, etc?)

III Adjetivos y sus formas

A. Cualidades - *Qualities* ≈

pequeño /a	-	grande	*small*	*- big, great*
feliz	-	infeliz	*happy*	*- unhappy*
bonito /a	-	feo /a	*pretty*	*- ugly*
alto /a	-	bajo /a	*tall*	*- short*
barato/a	-	caro/a	*cheap*	*- expensive*
bueno/a	-	malo/a	*good*	*- bad*

Many adjectives are descriptive words that tell the quality or characteristics of a person or thing. In Spanish, the usual place for descriptive adjectives is **after** the person or thing described.

el libro grande	the large book
los libros grandes	the large books

The adjective **grande** is often used before the noun and in this case means great. In front of singular nouns it drops **-de**

un gran amigo	una gran ciudad

Notice *that adjectives must agree in gender (masc., fem.) and number*
(sing., pl.) with the nouns (persons, places and things they describe).

Ejemplos.

La niña pequeña	The small girl
Las niñas pequeñas	The small girls
El edificio **es** alto	The building is tall.
Los edificios **son** altos	The buildings are tall.

article *(the, a, an)* + noun + adjective
must agree in number and gender

≈ *It helps to memorize vocabulary in meaningful contexts, such as pairs of adjectives expressing opposite qualities.*

EJERCICIO 1. ¿Cuál es el adjetivo correcto?

Complete the sentences with the opposite adjectives.

1. Las flores no son feas; son _____
2. La universidad es buena; no es _____
3. Los libros no son pequeños; son _____
4. La discriminación no es bonita; es _____
5. El millonario no es feliz; es _____
6. El parque no es grande; es _____
7. Los niños no son infelices; son _____
8. Las casas no son baratas; son _____
9. Matías no es alto; es _____

EJERCICIO 2. Preguntas para los estudiantes.

Notice that in Spanish the word no means "no" or "not".
Ask and answer questions according to the model.

Modelo. - ¿Es Ud...?
- Sí, soy ..... - No, no soy...
- **Sí,** soy tímido/a; **no** soy famoso/a, pero *(but)* ...
¡Soy divino/a en español...!
- Sí, soy ingenuo/a **a veces.**

a veces	*at times*
siempre	*always*
nunca	*never*

agresivo/a	apto/a	atractivo/a
carismático/a	cómico/a	crítico/a
discreto/a	divino/a	elegante
experto/a	expresivo/a	famoso/a
generoso/a	ingenuo *(naive)*	inteligente
original	perezoso *(lazy)*	puntual
prudente	respetuoso/a	realista
romántico/a	sentimental	sincero/a
simpático/a (nice)	tímido/a	tolerante

visionario/a	guapo/a *(goodlooking)*
trabajador/a *(hardworking)*	

Grados del adjetivo

positivo

comparativo

* igualdad
* superioridad
* inferioridad

superlativo

Luis es alto.
grado positivo

Luis es más alto que Antonio.
grado comparativo

Alberto es altísimo.
grado superlativo

Positivo	Comparativo	Superlativo
bueno	mejor	óptimo
malo	peor	pésimo
grande	mayor	máximo

Libro para estudiantes
- El Salvador -

EJERCICIO 3. ¿Cómo es?   *What's he / she like?*

Now, work with a classmate with these questions.

¿quién? = *who* **?**   **¿cómo es?** = *What is he/she like?*

1.   ¿Quién es tu actor favorito? ¿Cómo es?

2.   ¿Quién es tu actriz favorita? ¿Cómo es?

3.   ¿Cómo es él o ella, en tu opinión?

4.   ¿Cuál es su película favorita?

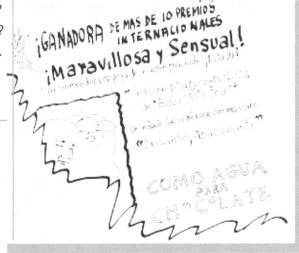

EJERCICIO 4. Sujetos y verbos

Complete con las formas del verbo ser y final correctos.

Write the correct form of the verb ser according to the subject.

Then find the right ending to the sentence.

Ejemplo. Los estudiantes **son** (característica) sinceros **(j)**.

La opera Carmen	_____	(evento)
Los mexicanos	_____	(nacionalidad)
La familia española	_____	(característica)
Los estudiantes	_____	(característica)
El contador Cubías	_____	(familia)
Tú	_____	(característica)
Las bananas	_____	(precio)
Adriana y Carla	_____	(nacionalidad)
La rosa	_____	(identificación)
La blusa	_____	(material)

a. diez pesos el kilo.

b. el padre de Juan.

c. una flor.

d. en el Teatro Municipal.

e. norteamericanos también.

f. de seda.

g. canadienses.

h. muy unida.

i. alto/a y delgado/a *(slim)*

j. sinceros

¿es / somos / son / soy / eres?

Los colores son características también.

Colours are also qualities.

The verb ser is generally used to tell what color something is.

¿De qué color son tus mascotas?   *What colour are your pets?*

- Mi gato es blanco y negro, y mi perra es marrón.

- *My cat is black and white, and my dog is brown.*

¿Cómo es la manzana? *What is the apple like?*

- La manzana es redonda, **roja** y deliciosa.

*The apple is round, **red** and delicious.*

Notice that some colours (azul, café, marrón, gris and verde) do not change from the masculine to the feminine forms.

Un edificio rojo *a red building*   una casa roja *a red house*   **(a change)**

Un edificio gris *a grey buiding*   una casa gris *a grey house* **(no change)**

_____   _____

But all of the colours change from the singular to the plural!

La mesa azul.	Las mesas azules.	
El libro marrón.	Los libros marrones.	
La hoja verde.	Las hojas verdes.	
El elefante gris.	Los elefantes grises.	

Otros ejemplos.

	Colores	
amarillo	yellow
azul	blue
blanco	white
gris	gray
marrón	brown
negro	black
rojo	red
verde	green

_____   _____

_____   _____

_____   _____

Ejercicio 1. Los colores en mi vida .   *The colours in my life.*

Llene los espacios con la forma correcta del verbo ser.
Fill in the blanks with the correct form of the verb ser.

1. Hay muchos colores en mi vida: el color de mi casa, por ejemplo. Mi casa _____
blanca y el techo *(roof)* _____ rojo.

2. Mi casa tiene *(has)* muchas ventanas. Todas las ventanas _____ azules.

3. Hay un enorme árbol en mi jardín. El árbol _____ verde.

4. Hay rosas en mi jardín. Las rosas _____ rojas y amarillas.

5. Mi auto _____ marrón.

6. Mi bicicleta _____ negra.

7. Mi computadora _____ gris.

8. Mis dos gatos _____ grises también.

Ejercicio 2.   Los colores de la naturaleza

Llene los espacios con las formas correctas de los colores apropiados.
Fill in the blanks with the correct forms of the appropriate colours.

1.   En la primavera las hojas de los árboles son _____.

2.   Pero en Canadá en el otoño, muchas hojas son _____ y _____.

3.   El sol *(sun)* es _____.

4.   Hay sol. Las nubes son _____.

5.   Generalmente, el agua del océano es _____ .

6.   Las bananas son _____.

7.   Los tomates son _____.

8.   Un elefante es _____ y dos elefantes son _____ también.

9.   La noche es _____.

Ejercicio 3. Los colores en tu vida.

Trabaje con un/a compañero/a alternándose con las siguientes preguntas.
Work with a partner, taking turns with the following questions.

1. ¿De qué color es tu casa o edificio de apartamentos *(apartment building)*?
2. ¿De qué color es tu auto o bicicleta?
3. ¿De qué color es tu perro o gato?
4. ¿De qué color es tu computadora?
5. ¿De qué color es tu chaqueta *(jacket)* favorita?

IV Verbo irregular tener		*To have*
yo)	tengo	*I have*
tú)	tienes	*you have*
él, ella, usted)	tiene	*he, she, you (formal) has*
nosotros)	tenemos	*we have*
vosotros)	tenéis	*you all have*
ellos,ellas,ustedes) tienen		*they have*

The verb tener is one of the most useful verbs in the Spanish language. It shows possession and also is used in many common expressions. It is not used as an auxiliary verb as it is in English (I have gone, he has traveled); the verb haber, which we will study later, is used for that.

Tener *is useful for expressions related to age* **(tener años),** *thirst* **(tener sed),** *and hunger* **(tener hambre),** *to name just a few*.

Ejemplos.

Martín **tiene** veinte años.	*Martin **is** twenty years old.*
¿**Tienes** hambre?	*Are you hungry?*
¿**Tienes** sed?	*Are you thirsty?*
Tengo frío hoy.	*I am cold today.*
Tengo calor ahora.	*I am hot now.*

≈ *Notice that usted and ustedes "borrow " the verb form from* él *and* **ellos.**

EJERCICIO 1. Preguntas.

1) ¿Tiene Ud. reloj?

2) ¿Tenemos una pizarra en la clase?

3) ¿Tiene Ud. hambre por las mañanas?

4) ¿Cuántas universidades tenemos en la ciudad *(city)*?

5) ¿Cuántos libros tienen Uds.?

6) ¿Cuántas horas tenemos en un día?

7) ¿Tiene Ud. sed en este momento?

8) ¿Tiene Ud. un lápiz en la mano?

__ *Now, you ask questions and the instructor will answer you!*

Observe the vocabulary box. Then answer the questions

auto	bicicleta	cámara
computadora	discos compactos	grabadora *(tape recorder)*
guitarra	lámpara	microscopio
piano	radio	televisor *(TV set)*

EJERCICIO 2. Preguntas

1. ¿Tenemos un teléfono en la clase?

2. ¿Tenemos una computadora? ¿sillas? ¿un gato?

3. ¿Qué tenemos en la clase?

4. ¿Tienen Uds. mucho dinero? ¿Quiénes tienen mucho dinero?

5. ¿Qué tengo en la mano? *(The instructor shows something in his/her hand)*

EJERCICIO 3. ¿Qué tienes tú?

Work with a partner taking turns asking and answering the questions.

1. ¿Tienes una computadora?
2. ¿Tienes plantas en la casa? ¿Cuántas?
3. ¿Tienes un auto? ¿Cómo es? ¿pequeño, grande o mediano?¿de qué color?
4. ¿Tienes hambre en este momento?
5. ¿Qué más (more) tienes? ¿una bicicleta? ¿problemas económicos?
6. ¿Tienes una memoria brillante?
7. ¿Tienes un instrumento musical? ¿un piano, un violín?
8. ¿Tienes sed los viernes por la noche?

Información de mi compañero/a.

Now make up sentences about what yor partner has.

Mi compañero/a tiene...

Dinámica

¿Qué tengo en la mano?

A student holds something in his/her hands, hides it and gives a clue about it. The other students ask questions in Spanish and try to guess what it is

Ejemplo.

Student A	Student B
¿Qué tengo en la mano? *(Student has a pencil)*	¿Es de plástico?
No. Es de madera.	¿Es negro?
No, es amarillo.	¿Es un lápiz?
Correcto.	

El ejercicio continúa con otros objetos - libros, llaves, dinero, etc.

VI Contracciones.

There are only two contractions in Spanish.

1. *When **a** precedes the masculine singular **the**.*

$$a + el = al \quad \text{(to the)}$$

2. *When **de** precedes the masculine singular **the**.*

$$de + el = del \quad \text{(of the)}$$

R**emember* that **de** can mean either ***of or ***from.***

*N*otice that when **de** or **a** is used with feminine plural words, there is no contraction.

las páginas **del** libro	*the book's pages*
las páginas de los libros	*the books' pages*
las flores **del** mercado	*the flowers from the market*
las flores de los mercados	*the flowers from the markets*
una visita **al** dentista	*a visit to the dentist*
una visita a la oficina	*a visit to the office*

EJERCICIO 1. Contracciones, ¿sí o no?

Add the Spanish for "to the" in the blanks.

1. Una visita _____ doctores

2. Un viaje *(trip)* _____ océano

3. El viaje _____ playa

4. Una visita _____ dentista

EJERCICIO 2. Contracciones, ¿sí o no?

Add the Spanish for "of the" or "from the"…

1. Las flores   ____   parque
2. Los amigos   ____   niña
3. Los meses   ____   otoño
4. El profesor   ____   colegio
5. La puerta   ____   auto
6. El reloj   ____   hombre
7. Las ventanas   ____   casa
8. La casa   ____   señores García.
9. La mesa   ____   profesor
10. La rosa   ____   jardín
11. Un tren   ____   centro comercial
12. El número   ____   documento
13. El patio   ____   casa
14. Un vidrio   ____   ventana
15. El problema   ____   expertos
16. Una avenida   ____   parque
17. El teléfono   ____   universidad
18. La computadora   ____   niños

Vamos a practicar

Discover the secret message by filling in the squares with the Spanish words.

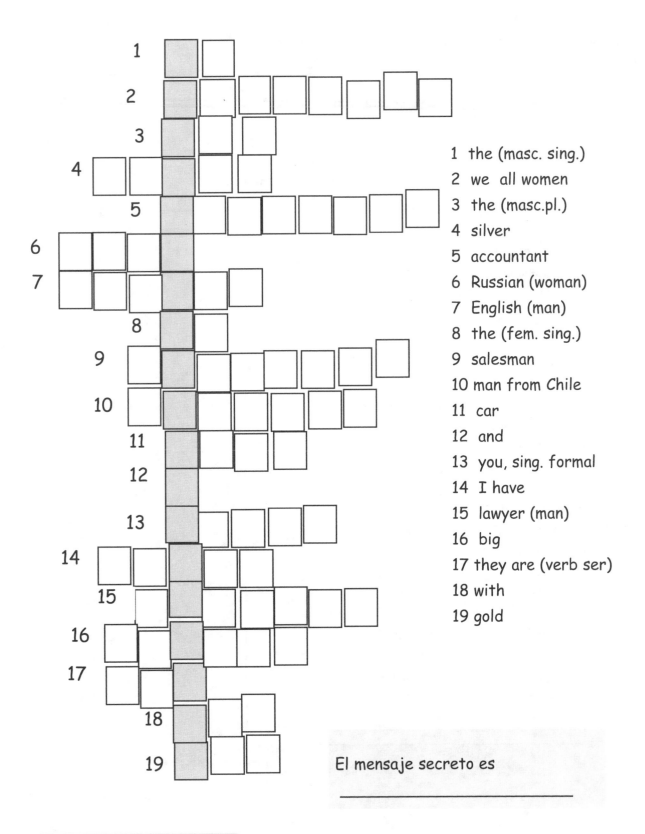

1 the (masc. sing.)
2 we all women
3 the (masc.pl.)
4 silver
5 accountant
6 Russian (woman)
7 English (man)
8 the (fem. sing.)
9 salesman
10 man from Chile
11 car
12 and
13 you, sing. formal
14 I have
15 lawyer (man)
16 big
17 they are (verb ser)
18 with
19 gold

El mensaje secreto es

_____

Lectura

Read the following selection several times
and listen to it on the CD or in a reading by your instructor/a.

Vocabulario.

Nombres y apellidos
First names and last names

Nombres y apellidos en español.

nombre (s)	**+**	**apellido(s)**	**=**	**nombre completo**
María Paz	+	Lozano Jiménez	=	María Paz Lozano Jiménez

apellido, el	*last name*
¡Así es!	*That's the way it is!*
a sus órdenes	*at your service*
banco, el	*bank*
costumbre, la	*the custom*
entonces	*then*
en realidad	*in reality*
explicar	*to explain*
mundo de hoy, el	*today's world*
no critico	*I don't criticize*
padres	*parents*
paz, la	*peace*
porque	*because*
¿por qué?	*why?*
según	*according to*
todo el mundo	*everybody*
la ONU	*the UN*

Me llamo María Lozano.

Buenos días. Me llamo María Lozano. Soy secretaria ejecutiva de una compañía de petróleo en Edmonton, Alberta. En realidad, no me llamo María Lozano. Mi nombre completo, real y auténtico es María Paz Lozano Jiménez. Pero aquí en Canadá me llamo María Lozano. ¿Por qué? Porque mi nombre real es un enorme problema. Porque los canadienses tienen dificultades con mi nombre real. Es una lástima, pero ¡así es! Entonces, necesito explicar.

Es importante comprender que no critico a los canadienses. Ahora yo soy canadiense también. Adoro Canadá. Es un país estupendo. Es el país número uno del mundo, según la ONU (y es verdad).

El problema es que originalmente soy de Ecuador. Las costumbres latinas son diferentes. Por ejemplo, con los nombres...

Primero, está mi nombre María Paz. Es bonito. La idea de la paz es tan importante en el mundo de hoy. En Ecuador, mis amigos me llaman Paz o Pacita. Pero los canadienses me preguntan, *What? Mary What? What's Paahs? Is that like 'bus pass' or something?"*

Bueno, por esta razón aquí me llamo simplemente María. Todo el mundo comprende «María».

Problema número dos, mis apellidos. Si, señor. apellidos, en plural.
Los latinos tenemos dos apellidos. ¿Por qué no? Primero, tengo el
apellido de mi papá: Lozano. Luego es el apellido de mi mamá:
Jiménez Es lógico, ¿no? Dos padres, dos apellidos. En
Latinoamérica usamos primero el apellido del padre, luego el apellido
de la madre.

Bueno, aquí no. Las personas tienen un solo apellido. La
interpretación aquí es: *"María Lozano Jiménez. Oh, right, your
surname is Jiménez. Of course, and your middle name is Lozano."*
Es imposible explicar. Hay mucha confusión en el banco, en la
universidad, en los documentos, en todo…

Por eso, aquí tengo un nombre diferente, no muy auténtico, pero no
muy complicado. Me llamo María Lozano, ¿comprende?
Simplemente María Lozano. A sus órdenes…

Preguntas.

1. ¿Cuál es el trabajo de María?
2. ¿Cómo se llama en realidad?
3. ¿De dónde es originalmente?   ¿Es canadiense ahora?
4. ¿Cuál es el nombre cristiano auténtico de María?
5. ¿Cuántos apellidos tiene ella?
6. ¿Cuántos apellidos tenemos generalmente en Canadá?
7. ¿Cuál es el apellido del padre de María? ¿y el apellido de su madre?
8. ¿Por qué no usa María su nombre completo y real?
9. En su opinión, ¿cómo es María? ¿flexible, fanática, sincera,
   honesta, ridícula, tolerante, simpática ………?
10. En su opinión, ¿hay problemas con nombres en Canadá?
    ¿Por qué sí o no?

Repaso de español práctico para canadienses.

I **Vocabulario:** *Write an antonym (word meaning the opposite) in Spanish for the following.* **Modelo.** hola adiós

1. la noche _____ 6. el invierno _____
2. el hombre _____ 7. menos _____
3. feo _____ 8. grande _____
4. malo _____ 9. alto _____
5. rápido _____ 10. los adultos _____

20 pts

II ¿Qué viene después? *What comes afterward?*

Modelo. el invierno ___ la primavera

1. febrero _____ 2. quince _____ 7. mediodía _____
3. hoy _____ 4. mucho gusto _____ 8. ¿Por qué? _____
5. jueves _____ 6. el amor _____ 9. letra ge _____

20 pts

III. ¿Cómo se dice en español?

1. *Is there any coffe now?*
2. *There are nine lawyers in the office.*
3. *Paco, you are my friend, eh?*
4. *Mr. Menchuck, are you English or Ukrainian?*
5. *I have 31 books on the table.*
6. *It's 9:30 p.m, and there are a few cars on the street.*
7. *What a shame! We don't have the name of the dentist.*
8. *Do you have nephews? ¿Cuántos?*
9. *I am single.*

20 pts

IV Preguntas orales.

Your instructor will ask you 10 questions. Listen (twice) and answer them as completely as you can.

20 pts.

Total _____ de 80 puntos.

Eres tú....
como lluvia fresca
en mis manos....

Eres tú...
como una guitarra
en la noche....

Canción

Capítulo dos

La cultura canadiense

Somos de muchas partes, estamos en Canadá y tenemos muchas actividades

Lista de temas

		página
Vocabulario activo		
	Nuestro país	**96**
Vamos a escuchar		
	Conversación, lectura	**98**
Formación de la lengua		
I	El verbo **estar** y sus usos	**101**
II	Diferencias entre **ser** y **estar**	**106**
III	Interrogaciones *(Question Words)*	**109**
IV	Los posesivos *(my, your, her, ...)*	**110**
V	Verbos **-ar**	**113**
Vamos a practicar		
	Comparaciones, opiniones	**118**
	Mi diario personal	**120**
	Repaso *Review*	**121**

Vocabulario activo.   **Nuestro país.**   *(Our Country)*

Canadá en español. *Study the following vocabulary. Imitate the pronunciation of your teacher or CD. Guess the meaning of the cognates and write them down.*

La geografía

bosque, el	*forest*
costa, la	
montaña, la	
pradera, la	*praire*
océano, el	
río, el	*river*
lago, el	*lake*
playa, la	*beach*
≈ clima, el	

El gobierno	*(government)*
ciudad, la	*city*
ciudadano/a, el, la	*citizen*
estado, el	*state*
democracia, la	
mayoría, la	*mayority*
minoría, la	*minority*
monarquía, la	*monarchy*
parlamento, el	
población, la	*population*
primer/a ministro/a, el, la	
provincias, las	*provinces*

> ## En Canadá hay anglohablantes
> ## y
> ## francohablantes

Características opuestas

alto/a, bajo/a	*tall (high), short (low)*
cerca, lejos	*near, far*
frío, caliente	*cold, hot*
grande, pequeño/a	*big, small*
más, menos	*more, less (fewer)*
nativo, inmigrante	*native, immigrant*
severo/a, suave	*harsh (severe), mild*
variado/a, homogéneo	*varied, homogeneous*

≈ *Remember that words ending in* **ma** *are almost all masculine:* **el tema, el problema,** *etc.*

Los cuatro puntos cardinales

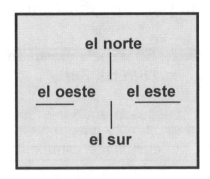

EJERCICIO 1.   Antónimos

Escriba un antónimo para cada palabra.

1. grande	_____	7. menos	_____
2. cerca	_____	8. desierto	_____
3. norte	_____	9. este	_____
4. caliente	_____	10. homogéneo	_____
5. mayoría	_____	11. bajo	_____
6. suave	_____	12. interior del país	_____

Vamos a escuchar.

Vocabulario para la lectura.

además	*besides*	otro/otra	*another*
en todas partes	*everywhere*	la mayoría (de)	*the majority (of)*
como	*like, as*	pero	*but*
la minoría	*the minority*	único	*only*

Listen to your teacher or the CD as you read the following reading selection.
Then work out the exercises.

Canadá, un país de gran variedad.

Nuestro país se llama Canadá. Es un país grande, enorme. Es el segundo país más grande del mundo, después de Rusia.

Canadá **está** en el norte. Está situado entre tres océanos, el Atlántico, el ≈ Pacífico y el Ártico. Tiene un clima frío y severo en el invierno, pero no en todas partes. En las costas, por ejemplo, el clima es más suave.

La geografía de Canadá es variada. Hay montañas altas, como las Rocallosas en el oeste y bajas como las Laurentians en el este. Hay ríos grandes como el Mackenzie o Saskatchewan. Hay bosques. En el centro hay una región inmensa de praderas. Esta región es muy importante para la agricultura. Hay grandes ciudades también, como Montreal, Toronto, Vancouver, Edmonton y Calgary.

El gobierno de Canadá es democrático y parlamentario. No tenemos un presidente como en Estados Unidos. Tenemos un Primer Ministro. No tenemos estados. Tenemos provincias. Hay diez provincias y tres territorios. La capital es Ottawa. Está en la provincia de Ontario.

La población de Canadá no es muy grande, pero es muy variada. Hay más o menos 30 millones de canadienses y son de muchas culturas. Hay dos idiomas oficiales: el inglés y el francés.

≈ *To show the location or condition of a person or thing,* estar *is used not ser. You will study* estar *in this chapter.*

La mayoría de las personas de la provincia de Quebéc son francohablantes. Hay pequeñas comunidades francesas en todas las provincias. Pero hay también muchas otras comunidades étnicas:

Lago
Luisa

EJERCICIO 1. Verdad o Mentira.

1 ____   El país más grande del mundo es Canadá.

2 ____   El invierno es frío y severo en todas partes de Canadá.

3 ____   En el centro del país hay grandes montañas.

4 ____   Las grandes ciudades de Canadá están en las costas.

5 ____   Hay nueve provincias y tres territorios en Canadá.

6 ____   La capital del país está en la provincia de Ontario.

7 ____   Hay cinco lenguas oficiales.

8 ____   Mucha gente de Quebéc es francohablante.

9 ____   El único *(only)* grupo de indígenas en Canadá son los inuit.

EJERCICIO 2. Preguntas

Conteste las preguntas rápidamente.

1. ¿Cómo es Canadá? ¿Es un país frío o caliente?

2. ¿Es un país del norte o del sur? ¿Es grande o pequeño?

3. ¿Está cerca de España? ¿o lejos?

4. ¿Está más cerca de México o de Estados Unidos?

5. ¿En qué provincia estamos ahora?

6. ¿Qué ciudades hay en la costa?

7. ¿Qué tiene Canadá? ¿Hay bosques, desiertos, costa...?

En un hotel en Mazatlán.

Escuche la conversación en el disco compacto dos veces (o más). Haga el ejercicio.
(Listen to the conversation on the tape two or more times. Do the exercise.)

Dos turistas canadienses
están sentados *(seated)*
en un restaurante.
Llega el camarero...
(The waiter comes...)

EJERCICIO. Selecciones múltiples.

1. Jack y Helen piden (order) dos

___ margaritas
___ cafés
___ coca colas
___ cervezas

2. Jack y Helen son de

___ Estados Unidos
___ Canadá
___ México

3. El camarero se llama

___ Enrique
___ Alejandro
___ Guillermo
___ Pepe

4. Según *(According to)* el camarero, Canada tiene muchos

___ autos
___ lagos
___ hospitales

5. Según Jack, en Canadá hay gente

___ de todas partes
___ con grandes problemas
___ extraña

6. Una pregunta del camarero es:

___ ¿Hay canadienses de origen húngaro?
___ ¿Cómo se llama su primer ministro?
___ ¿Quién es el presidente de Canadá?

Formación de la lengua.

I El verbo estar y sus usos.

(yo)	estoy	(nosotros/as)	estamos
(tú)	estás	(vosotros/as)	estáis
(él, ella, Ud.)	está	(ellos/as, Uds.)	están

Estar is one of the two Spanish verbs that mean **to be**. *(In the last chapter you studied the other one, **ser**.)*. **Estar is used.**

1. for location, to tell where a person or thing is.

___ Estoy en casa todo el día.   *I'm at home all day.*

___ ¿Dónde está el hotel?   *Where is the hotel?*

2. to describe the state or condition of a person or thing.

It indicates temporality.

___ ¿Cómo estás?   *How are you?*

___ Mi amigo está enfermo   *My friend is sick*

___ El radio está roto   *The radio is broken.*

Some words that are often used with **estar.**

cansado/a	*tired*
deprimido/a	*depressed*
contento/a	*happy*
sentado/a	*seated*
aburrido/a	*bored*
enamorado	*in love*
enojado/a	*angry*
enfermo	*sick*

Estar *is only for locations and conditions!*

EJERCICIO. La forma correcta

Escriba las formas correctas de estar.

1. La ciudad de Yellowknife _____ en el norte
2. y la ciudad de Lima _____ en América del Sur.

   3. ¿Cómo _____ hoy, Alonso?

   4. ¿Yo? ¡ _____ excelente, gracias!

5. Muchas **personas** _____ enfermas con la gripe *(flu)* ≈
6. y muchas personas _____ contentas con la nieve.

   7. Buenos días, niña, ¿dónde _____ tu mamá?

   8. Si Ud. es vendedor, mi mamá no _____ aquí *(here)*.

9. ¿Dónde _____ ustedes en el verano?
10. ¿Nosotros? Generalmente _____ en las montañas en el verano.

   11. ¿Dónde _____ los árboles?

   12. ¡Hombre! No hay árboles. Ud. _____ en Saskatchewan.

13. ¿Dónde _____ María Paz y su esposo?
14. Ellos _____ en casa, tranquilos.

   15. Hola, Juana, ¿_____ deprimida *(depressed)*?

   16. No, amiga, _____ cansada *(tired)*, un poco cansada.

≈ *Notice that even when you are talking about both men and women, the word* **personas** *is feminine and takes a feminine adjective. See?* **Sometimes grammar favors women!**

Dinámica

1. **Observe a su instructor. Trabaje con un compañero.** *Use your hands to point.*

arriba -	*up,above,over*	**abajo**	*down, under*
adentro	*inside*	**afuera**	*outside*
adelante	*in front*	**atrás**	*behind*
al lado	*besides*		

2.- Mostrar (show) en la clase. ¿Dónde está?

La puerta _____

La pizarra _____

Mis llaves _____

El /la instructor/a _____

Su teléfono celular _____

EJERCICIO 1. Entrevista. Trabaje con un/a compañero/a.

1. Me llamo _____ ¿Cómo te llamas? (Mucho gusto, etc)

2. ¿Cómo estás hoy? ¿Estás cansado/a? ¿Deprimido/a? ¿Enfermo/a? ¿Contento/a?
___ Estoy...

3. Generalmente , ¿Dónde estás en el verano?
___ Generalmente estoy ...

EJERCICIO 2. ¡Pobre Guillermo! Está enfermo.

Pobre Guillermo. Su amigo Carlos lo llama por teléfono. Escriba Ud. las respuestas *(answers)* de Guillermo.

1. __ Hola, Guillermo. Soy Carlos. ¿Qué pasa, hombre?

   ¿Por qué estás en el hospital? _____

2. __ ¿Cómo estás ahora, amigo? _____

3. __ ¿Qué tal los médicos? ¿Son buenos? _____

4. __ ¿Es buena la comida? *(food)* _____

EJERCICIO 3. Estados emocionales

Mire la ilustración y conteste las preguntas.

1. ¿Quién está más contento/a,
el hombre o la mujer?

2. En su opinión,
¿por qué está irritada la persona?
¿Tiene problemas económicos
o problemas de amores?

3. En su opinión, ¿dónde están?

II Diferencias entre ser y estar.

«Ser o no ser...»
¡Esa es la pregunta!

Perdone, señor
Shakespeare,
pero en español
la pregunta es:
¿SER o ESTAR?

The two main challenges students have with using **ser** *and* **estar** *is choosing the right one.*

1) for expressing location, and

2) to link a noun with an adjective.

---

1. Remember that **ser** is used to tell where an event takes place. **Estar** is used to tell the location of a concrete physical object or person.

La reunión es en casa de Diego.   *The meeting is at James' house.*

Su casa está cerca de la universidad.   *His house is near the university.*

---

ubicación o posición

ser   eventos

estar   personas, objetos.

---

2.   Ser is used to express qualities or characteristics. Estar is used to express physical or emotional conditions.

Amalia es alta, guapa, rica y simpática.

Amalia is tall, good-looking, rich and nice.

Mi padre está enfermo, frustrado, y deprimido. No está contento.

My father is sick, frustrated and depressed. He is not happy.

---

con adjetivos

ser   cualidades, características

estar condiciones, estados

EJERCICIO 1. ¿Ser o estar?

1. Calgary _____ en Alberta.
2. La clase de español _____ en el edificio de Educación.
3. ¿Dónde _____ la farmacia?
4. ¿Dónde _____ la reunión?
5. La fiesta _____ en casa de los Ramírez.
6. La ciudad de Regina, ¿_____ en Manitoba?
7. Los Juegos Olímpicos _____ en Australia, este año, ¿no?
8. Las montañas Kootenay _____ lejos de Montreal.

EJERCICIO 2.   ¿Ser o estar?

1. Los niños (the children) _____ enfermos.
2. (Nosotros) _____ contentos con el trabajo.
3. Todos los abogados _____ ricos, ¿no es verdad?
4. Ella _____ muy cansada hoy.
5. Ellos no _____ francocanadienses.
6. Mi esposo y yo _____ de Estados Unidos.
7. Pero ahora (nosotros) _____ canadienses.
8. El aire _____ muy contaminado hoy.
9. Los mexicanos _____ simpáticos, ¿no?
10. Mi amiga Mariana _____ baja.

III   Interrogaciones.

Subject	Question	Equivalente	Example
persona	¿Quién?	Who?	¿Quién es Ud.?
	¿Quiénes?		¿Quiénes tienen dinero?
objeto	¿Qué?	What?	¿Qué tienes en la mano?
	¿Cuál?	Which?	¿Cuál es tu número de teléfono?
cantidad	¿Cuánto/a?	How much?	¿Cuánta agua hay en el río?
	¿Cuántos/as?	How many?	¿Cuántos años tienes?
lugar	¿Dónde?	Where?	¿Dónde está el hospital?
	¿Adónde?	to) Where?	¿Adónde caminas (are you walking)
tiempo	¿Cuándo?	When?	¿Cuándo tienes examen?
forma	¿Cómo?	How?	¿Cómo está tu familia?
razón	¿Por qué?	Why?	¿Por qué estás irritada?

Notice that questioning words in Spanish have a written accent to show that they are asking a question. *Have you noticed a difference in the punctuation of Spanish questions too?*

Qué and **cuál** do not exactly correspond to the English *what* and *which*.

Cuál is generally used when the words **de** or **es** follow. It is asking about something that could be in a list.

¿Cuál es tu correo electrónico?
> *What is your E-mail adress?*

¿Cuál de los dos libros es más interesante?
> *Which of the two books is more interesting?*

≈   *It is very common in Spanish to answer* 'porque sí' *or* 'porque no' *to this question - just because because I am not. Observe that the answer is only one word wtihout the accent -* porque.

Qué *is almost always used right in front of a noun.*

     ¿**Qué** día es hoy?   *What day is today?*

     ¿**Qué** colores están de moda? *What colors are on style?*

When asking for the meaning of something, however, use **qué.**

     ¿**Qué** es el amor?   *What is love?*

     ¿**Qué** es **pájaro** en español? *What is bird in Spanish?*

EJERCICIO. Entrevista rápida

Trabaje con su compañero/a.

1. ¿**Dónde** es la clase de español?
2. ¿**Quién** es tu doctor?
3. ¿**Cómo** es tu ciudad?
4. ¿**Cuántos** estudiantes hay en la clase?
5. ¿**Cuál** es tu bebida *(beverage)* favorita? ¿el café? ¿el té?

IV   Los posesivos

mi, mis	*my*	Mi perro es feo.
tu, tus	*your (fam.)*	Tus lápices son azules.
su, sus	*his, her, their,your (formal), your (all)*	Sus gatos son inteligentes.
nuestro(s), nuestra(s)	*our*	Nuestro profesor es responsable.
vuestro(s), vuestra(s)	*your (Spain)*	Vuestra casa es grande.

Ejemplos.

¿Cómo se llama **su** padre?	_____ padre se llama Luis.
¿Dónde está **su** casa?	_____ casa está en el sur.
¿Cuándo tienes **tu** clase?	Tengo _____ clase todos los lunes.
¿Es alta **tu** madre?	Sí _____ madre es alta.

1. Like numbers, possessive adjectives(my, your, etc.) are placed in front of the noun. In Spanish they must agree with the noun in number, but *only* the **nuestro/a** form need to agree in masculine or feminine

mi libro,   su libro   singular

mis libros, sus libros   plural

nuestro libro, nuestra casa   masculino y femenino

2.   Notice how vague **su** and **sus** are.   ≈

It means his or her or their or your (when you are using the Ud. form).

María tiene un auto. Su auto es grande.   *(her car).*

José tiene un auto también. Su auto es pequeño   *(his car)*

¿Cómo está Ud., señor Blanco? ¿Cómo están sus hijos?   *(your sons)*

Paco y Pepe son peruanos, pero su abuelo es colombiano   *(their grandfather)*

3. Clarification. Since su and sus are so vague, sometimes
     they need clarification, using de and the personal pronouns.

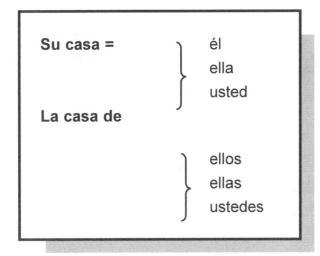

Su casa =
             } él
               ella
               usted

La casa de

             } ellos
               ellas
               ustedes

≈   *This is an advantage in writing with political correctness because you don't have to keep saying "**his or her**" as in English. You just say **su**.*

EJERCICIO 1. Nuestra familia

Siga el modelo. (my)   madre   /   padre   /   padres (parents)

                 mi madre,   **mi** padre,   **mis** padres

1. *(his)*   ___ madre   ___ padre   ____ padres
2. *(her)*   ___ madre   ___ padre,   ____ padres
3. *(their)*   ___ hermana ___ hermano   ____ hermanos
4. *(our)*   ___ prima   ___ primo   ____ primos
5. *(your--fam.)*   ___ tía   ___ tío   ____ tíos
6. *(your--formal)*   ___ sobrina ___ sobrino   ____ sobrinos *(nice, nephew)*

EJERCICIO 2. Clarificar. *Clarify.*

Ejemplo   *her problem* > el problema de ella.

1) *His table* >   _____   4) *Your books (Ud.)* >   _____

2) *Their friends* >_____   5) *His auntie & uncle* >   _____

3) *Her question* >_____   6) *Her brother* >   _____

EJERCICIO 3.   Preguntas con tú.

Invente cinco preguntas más con el posesivo **tu (tus).**

Modelo.   ___ ¿Dónde están tus padres?

              ___ ¿De qué es tu casa?

1- _____

2- _____

3- _____

4- _____

5- _____

V Verbos -ar.   Mis pasatiempos favoritos.

En Canadá el invierno es muy largo *(long)*. Para la salud *(health)* mental, es necesario
participar en varias actividades .Vamos a hablar de nuestras actividades en el invierno.

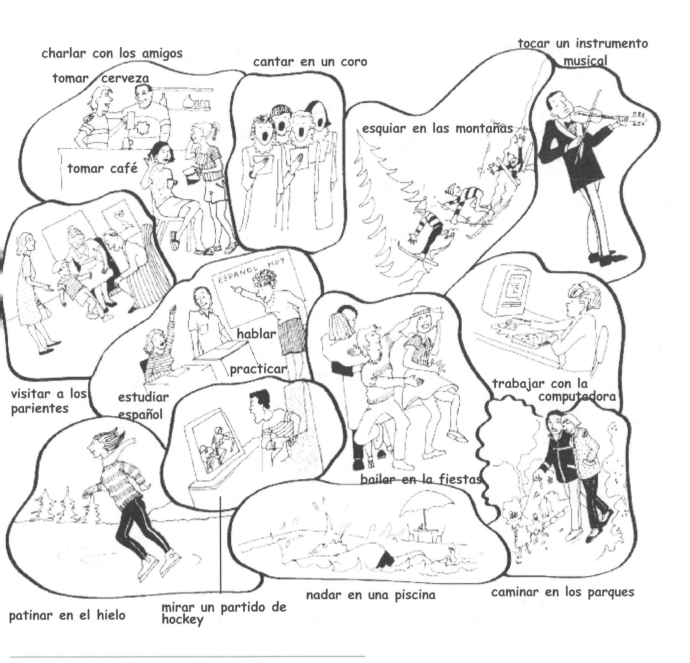

charlar con los amigos
tomar cerveza
tomar café
cantar en un coro
tocar un instrumento musical
esquiar en las montañas
hablar
practicar
visitar a los parientes
estudiar español
trabajar con la computadora
bailar en la fiestas
patinar en el hielo
mirar un partido de hockey
nadar en una piscina
caminar en los parques

EJERCICIO 1. Verdad o mentira.   *True or false according to the pictures.*

1 ____   Un hombre **toca** el piano.

2 ____   Una mujer **trabaja** con una computadora.

3 ____   Una persona **nada** en el río.

4 ____   El adolescente **mira** un partido de béisbol.

5 ____   Los niños **esquían** bien.

6 ____   Los estudiantes **practican** español.

EJERCICIO 2.   ¡Adivina el significado

Mire la ilustración. Luego, escriba las palabras en inglés para los siguientes verbos. Adivine los cognados. Look at the picture. Then write the words in English for the following verbs. *Guess the cognates.*

≈ **Acciones. Verbos de -ar**

bailar   *to dance*

buscar   *to look for (search)*

caminar   _____

cantar   _____

charlar   *to chat*

hablar   _____

llegar   *to arrive*

mirar   _____

observar   _____

participar   _____

practicar   _____

tocar   _____

tomar   _____

trabajar   _____

usar   _____

visitar   _____

Algunos deportes   *Some Sports*

esquiar   _____

nadar   _____

patinar   _____

Otros verbos de -ar

desear   _____

necesitar _____

≈ *Verbs are usually given in the infinitive form, the form usually listed in dictionaries, ending in* **-ar -er -ir.** *Infinitives are translated as* **to...**

EJERCICIO 1.   Actividades favoritas.

Work with a partner, asking and answering the questions.

Modelo.   ¿Tocas el piano?   *Do you play the piano?*

_____ No, no toco el piano   *No. I don't play the piano.*

_____ Sí, toco el piano a veces.   *Yes, I do play the piano some times.*

1. ¿Esquias en las montañas?
2. ¿Miras televisión?
3. ¿Escuchas música clásica?
4. ¿Miras los partidos de fútbol?
5. ¿Nadas en una piscina?
6. ¿Bailas en las fiestas?
7. ¿Observas los pájaros o las plantas?
8. ¿Hablas por teléfono a larga distancia?
9. ¿ Buscas libros atractivos?

¿Otras actividades favoritas?

_____

_____

_____

Verbos -ar. / Tiempo presente.

Verbs in Spanish are divided into 3 groups according to the ending of the infinitive form **(-ar, -er, -ir)**.

For example, the verbs **hablar, trabajar,** etc. belong to the same group and follow one model. ***They drop the ending -ar and replace it with an ending*** that indicates the person (yo, tú, etc.) and the tense (present, past, etc.).

To speak in the present or in general, use the following present-tense endings for **-ar** verbs.

Verbo modelo hablar. Present tense

yo	**habl o**	*I speak*
tú	**habl as**	you speak
él, ella, Ud.	**habl a**	*he, she, speaks, you (formal) speak*
nosotros/as	**habl amos**	*we speak*
vosotros/as	***habl áis***	you speak ≈
ellos, ellas, Uds.	**habl an**	*they, you all speak*

Ejemplos.

En Canadá **hablamos** inglés y francés   ***General***
We speak English and French in Canada.

Hola, ¿qué pasa? ___ **Escucho** la radio   ***Present***
Hi, what's happening? I'm listening to the radio.

Modelos.

escuchar   *(to listen)*
escucho
escuchas
escucha
escuchamos
escucháis
escuchan

necesitar   *(to need)*
necesito
necesitas
necesita
necesitamos
necesitáis
necesitan

tomar   *(to take, to drink)*
tomo
tomas
toma
tomamos
tomáis
toman

≈ *As indicated previously, the* **vosotros/as** *forms are used only in certain parts of Spain.*
Because of their restricted usage, they will not be practiced actively in this text. However
they wil be listed so you can recognize them.

The **-ar** verb group is the ***largest*** group of Spanish verbs. There are many, many of them and often they are cognates. *Practice hard with these model verbs and you will soon be able to say a lot in Spanish!*

EJERCICIO 1. Preguntas para toda la clase.

Responda sí o no a las siguientes preguntas.

Ejemplo. ___ ¿Necesitan Uds. un lápiz en la clase de español?

___ Sí, necesitamos un lápiz en la clase de español.

a) ¿Mira Ud. televisión a veces?

b) ¿Caminan los estudiantes a la clase?

c) ¿Escuchan Uds. el disco compacto en español a veces?

d) ¿Esquiamos en el verano?

e) ¿Cantan y bailan Uds. el fin de semana?

f) ¿Trabaja Ud. mucho en la clase de español?

g) ¿Practican Uds. español en la casa?

h) ¿Busca Ud. el éxito *(success)* en su vida?

i) ¿Llega el/la profesor/a a tiempo (on time) a la clase?

j) ¿Desean Uds. estudiar español?

Mi amiga Paulina **canta** muy bien.

Vamos a practicar.

ACTIVIDAD 1.   Conversación con una mexicana

Imagine that you are on a bus tour in Mexico on your way to see the famous ruins of Teotihuacán, near Mexico city. A Mexican lady sitting next to you finds out you speak some Spanish and asks you questions about Canada.

What would you answer?

Las preguntas de Patricia Domínguez.

1.   ¿Cómo es la geografía de Canadá? _____

2.   ¿Es parecido (similar) Canadá a   México? _____

3.   ¿Cómo son los canadienses? _____

4.   ¿Tienen Uds. ciudades y estados? _____

5.   ¿Cómo es el gobierno de Canadá? _____

6.   ¿Qué diferencias hay entre Canadá y Estados Unidos? _____

ACTIVIDAD 2.   Comparación y contraste.

Compare su ciudad con otras ciudades canadienses.
Use **más que** *(more than)* o **menos que** *(less or fewer than)*.

> La clase puede comparar el **"crisol"** *(melting pot)* estadounidense y el **"multiculturalismo"** canadiense

Ejemplos.   Mi ciudad es más pequeña que Toronto.
En mi ciudad hay más parques que en Ottawa.
En mi ciudad tenemos menos habitantes que en Vancouver.

ACTIVIDAD 3. Lectura y opiniones.
Mensaje del astronauta Franklin Chang Díaz.

The Costa Rican-American astronaut, Franklin Chang Díaz, made the following comments in an interview on Spanish Television. Working with a classmate or by yourself , read his comments and do the exercises that follow:

"La aventura espacial es el paso unificante de la humanidad"...
"El astronauta se convierte en *(becomes)* **un ciudadano del mundo"...**
"Definitivamente, la protección de nuestro planeta es responsabilidad de toda la humanidad"...

A. Write down five cognates from his comments.

_____

_____

_____

_____

_____

C. Form the next adverbs.

B. Write down three adverbs from his comments. (mente = ly).

≈

cómica	_____
definitiva	_____
elegante	_____
expresiva	_____
responsable	_____
severa	_____

1. _____

2. _____

3. _____

≈ *Spanish forms adverbs with the feminine adjective plus the ending* -mente.

Mi diario personal.

Here's an important chance for you to learn more Spanish of the practical sort that you really need!

Start a personal journal and write in it every day… or at least, almost every day. You need to internalize and personalize the vocabulary, structures, and idioms you are learning. You have to program them into your brain.

Fortunately, Spanish is a very phonetic language, so by writing you will also be learning words and patterns you can use in speech. When you come to class, your teacher will often ask you to share some entries from you diary with your classmates.

· **Get a special notebook** just for this.

· **Put down the day, the time and the date, each time at the top.**
(Later you can also record the weather.)

· **Now write some commentary in Spanish.** Make it something that really relates to your life. You might write about sports or literature, the stock market, or politics. You can put down the price of gasoline if you find it shocking or describe your dog, your garden, your bridge partners or your in-laws. Make it something you might actually want to say in Spanish.

· **Keep it simple.** The challenge is to write **Spanish, not Spanglish**. Use your dictionary if you need a specific term, but not too much. Don't make the classic mistake of translating your thoughts in complex sentences. Imitate the structures you are learning in class. Build on them. Speak in short simple sentences. **Use the vocabulary you are learning.**

**Your instructor will probably ask for "volunteers"
to read from their diaries!**

Repaso de español.

I. Complete the sentences. Use the verbs ser o estar.

1. Canadá _____ un país de Norteamérica.
2. Las Montañas Rocallosas _____ en el oeste de Canadá.
3. Yo _____ canadiense.
4. La reunión de las provincias _____ en el este.
5. El Primer Ministro _____ simpático y trabajador. ¿no?
6. La casa de mis padres ____ grande y bonita.
7. Tú _____ contento con la clase de español, ¿no?
8. La luna _____ blanca y el sol _____ amarillo.
9. ¡Qué lástima! Mi amigo y yo _____ enfermos.
10. Catalina _____ uruguaya y ahora _____ en Canadá. **20 pts.**

II. Asociaciones. ¿Dónde practicamos las siguientes actividades?

1 - el lago	a - caminar con mi amigo/a
2 - la fiesta	b - visitar a los abuelos
3 - el parque	c - tocar el piano
4 - la montaña	d - mirar televisión
5 - la casa	e - bailar y conversar
6 - la clase	f - trabajar con la computadora
7 - la oficina	g - practicar verbos y vocabulario
8 - el edificio	h - esquiar y observar los pájaros
9 - el teatro	i - nadar en el verano

20 pts.

III. Preguntas. Answer the questions in complete sentences.

1. ¿Cuándo es el cumpleaños de tu mamá?
2. ¿Dónde están las montañas Laurentians de Canadá?
3. ¿Qué necesita tu instructor/a en este momento?
4. ¿Cuál es tu número de teléfono?
5. ¿Hay que participar en la clase de español?
6. ¿Quién trabaja en tu casa?
7. ¿Cuándo necesitas hablar español?
8. ¿Por qué visitamos al/la doctor/a a veces?
9. ¿Tomas vitaminas?
10. ¿Miras películas de terror en televisión o en el cine? **20 pts.**

IV. Vocabulario.

Write the meaning in English words for the following Spanish words and expressions.

1.- lejos
2.- el bosque
3.- arriba
4.- la ciudad
5.- la gente
6.- nuestra casa
7.- trabajar
8.- tu sobrina
9.- escuchar
10.- tenemos hambre

Write the meaning in Spanish for the following English words and expressions

1.- the watch
2.- we have to work
3.- prairie
4.- French-speaking
5.- door
6.- beach
7.- manager
8.- my sister
9.- your hands
10.- our uncle

20 pts.

V. Verbos ser, estar y tener. Completar.

1. Los hoteles de Montevideo _____ grandes y _____ cerca del centro.

2. Mabel y Julia _____ hermanas; ahora _____ en el lago y _____ sed.

3. Yukón _____ un territorio canadiense y _____ al norte de Canadá.

4. La profesora de español _____ la señora Mateluna, _____ colombiana.

5. La reunión _____ a las seis y media en el restaurante.

6. Canadá _____ mi país; _____ muchos lagos y _____
    al norte de Estados Unidos.

7. Tú _____ muy cómico, pero yo _____ deprimida hoy.

8. Mi auto _____ rojo y _____ en el garage.

9. ¿Cuántos años _____ tu hermano?

10. ¿Quién _____ el libro de español? -

20 pts.

Total _____ **100 pts.**

Módulo dos

University of Alberta - Faculty of Extension

Secciones

Lista de temas

Capítulo tres			**125**
Vocabulario activo	El trabajo y el placer	*Work and Pleasure*	126
Formación de la lengua	Verbos-**ar** / -**er** / -**ir**		130
	Uso de la <a> personal	The *Personal <a>*	133
	Verbo **tener** y obligaciones	*Verb* **to have** *and obligations*	135
Capítulo cuatro			**139**
Vocabulario activo	La ciudad y el campo	*The city and the countryside*	140
Formación de la lengua	Verbos <un poco irregulares>	*Somehow <irregular verbs>*	147
	Verbos **hace**, **hay** y el clima	*Weather Expressions*	151
	Verbo **ir** y la idea de futuro	*Verb* **to go** *and future tense*	153
Capítulo cinco			**157**
Vocabulario activo	La comida	*Food*	158
	Me gusta...	*I like...*	162
Formación de la lengua	Verbos que cambian de raíz	*Stem-changing verbs*	165
Capítulo seis			**171**
Vocabulario activo	El cuerpo humano	*The human body*	172
Formación de la lengua	Verbos doler, importar...	*Verbs <to ache>, <to mind>....*	178
	Tres dimensiones	*Here and There*	181

Capítulo tres
El trabajo y el placer
Work and pleasure

Lista de temas

	página
Vocabulario activo	
Trabajo y placer	**126**
Vamos a escuchar	
Cuestionario sobre nuestras actividades	**128**
Formación de la lengua	
I Verbos regulares de **-ar / -er / -ir**	**130**
II El uso de la **«a» personal**	**133**
III Verbo **tener** y las obligaciones.	**135**
Vamos a practicar	
Actividades favoritas	**137**

Vocabulario activo.   Nuestras actividades.

Acciones

ayudar a un niño	*to help a child*
comprar cosas	*to buy things*
estudiar idiomas	*to study languages*
manejar el auto	*to drive a car*
andar a caballo	*to go horsebackriding*
pasear en auto	*to go for a ride in the car*
pasear por las calles	to *take a walk through the streets*
plantar un árbol	*to plant a tree*
tomar el autobús, el avión, el tren...	*to take the bus, the plane, the train*
llegar a la hora, tarde, temprano	*to arrive on time, late, early*
viajar a América latina	*to travel to Latin America*

Lugares y personas	
la casa	*the house*
el hogar	*the home, hearth*
la gente	*the people (femenine, sing)*
el / la colega	*colleague*
compañeros de trabajo	*buddies at work, co-workers*
compañeros de estudio	*classmates*
la playa	*the beach*

Notas de vocabulario.

1. The verb **manejar** means to drive in the sense of to steer or to operate a vehicle. *It does not mean to ride in a car.*
Example. Mi hermano maneja bien. *My brother drives well.*
To say, "On Sundays, we drive through the park," you would use the verb **pasear.**
Los domingos **paseamos** en auto por el parque.
To say "to take a horseback ride" - **pasear a caballo.**

2. The verb **pasear** does not have a direct translation into English. The idea is pasear = to go out just for fun. (Perhaps we do not do this in Canada because of the weather?)
Ejemplos.   Mis padres **pasean** en América latina todos los años.
Siempre **paseo** en esas calles por la tarde.
¿**Paseas** tú los domingos?

3.   The word **plantar** means to plant trees or plants. When you talk about planting crops from seed, the verb **sembrar,** *to sow* is used.

4.   The verb **esperar** has two meanings: *1. to wait for* and *2. to hope.*
¡Espero que sí! *means I hope so!* ¡Espero que no! means *I hope not!*

EJERCICIO 1. Actividades.

Use todos los recuadros y complete con la forma del verbo correcto.

Yo ....

Uds. ....

Tú ....

Miguel ....

en el trabajo...

_____ a la hora

_____ la información

_____ con la computadora

_____ mucho

en la playa...

_____ el sol

_____ a caballo

_____ cerca del agua

_____ español.

hablar
pasear
llegar
tomar
trabajar
buscar

EJERCICIO 2. Las lenguas de Canadá

Complete los espacios en blanco con la forma correcta del verbo en paréntesis.

1. En general, los canadienses (hablar) _____ inglés o francés, los dos idiomas oficiales.

2. Pero en realidad [nosotros] (escuchar) _____ otras lenguas también.

3. En sus hogares, los ucranianos (hablar) _____ ucraniano,

y los alemanes (hablar) _____ alemán.

4. ¿Qué (hablar) _____ los chilenos y salvadoreños?

5. ¿Qué (hablar) _____ Ud. en casa?

6. ¿Qué (hablar) _____ sus padres? ¿Sus abuelos?

7. ¿(Hablar) _____ francés los líderes políticos de Canadá?

8. En Canadá mucha gente (estudiar) _____ lenguas.

9. En su opinión, ¿por qué (estudiar) _____ [nosotros] lenguas?

10. ¿(Necesitar) _____ [nosotros] hablar otra lengua por razones prácticas?

11. Es una pregunta interesante. ¿Qué (opinar) _____ Ud.?

EJERCICIO 3. Conversación con su compañero/a

Hable con un/a compañero/a, usando la forma de tú y las siguientes preguntas.

Informar sobre su compañero/a después. *Talk with a classmate, using the tú form and the following questions. Tell something about your classmate later.*

Ejemplo. -Hola, ¿cómo estás hoy (esta noche)?

-Estoy bien / horrible/ más o menos... ¿y tú?

1.- ¿Tocas un instrumento musical? ¿el piano? ¿la flauta?

2.- ¿Cuándo escuchas música? ¿por la tarde?

3.- ¿Caminas mucho? ¿Dónde caminas?

 ¿en un parque? ¿en las montañas?

4.- ¿Esquias o patinas en invierno?

5. ¿Dónde trabajas? ¿o estudias?

6.- ¿Qué opinas de la televisión?

 ¿Hay programas interesantes?

Vamos a escuchar.

Cuestionario sobre nuestras actividades.

Lea (y escuche) el cuestionario y seleccione las respuestas apropiadas o llene los espacios en blanco.

Compare respuestas con sus compañeros.

Read (and listen to) the questionnaire and select appropriate answers or fill in the blanks. Compare answers with your classmates.

1. **¿Dónde trabaja Ud.?**   *Where do you work?*

   Trabajo

   ___ en una oficina
   ___ en casa
   ___ en un hospital
   ___ en una clínica
   ___ en una compañía

   ___ en un club
   ___ en una organización
   ___ en un banco
   ___ en otro lugar *(another place)*

2. **¿Trabaja Ud. mucho o poco?**

   Trabajo   ___ mucho   ___ poco   ___ más o menos

3. **¿Cuántas horas trabaja en una semana?**

   Trabajo aproximadamente _____ horas en una semana.

4. **¿Es Ud. puntual? ¿Llega a su trabajo ... ?**

   ___ a la hora ___ temprano ___ tarde

5. **¿Qué tipo de transporte usa Ud.?**

   ___ tomo el autobús.   ___ uso el tren.
   ___ tomo un avión.   ___ tomo un taxi.
   ___ manejo mi auto.   ___ camino

6. ¿Pasea Ud. los fines de semana?

Paseo

___ en auto   ___ a caballo

___ en las calles   ___ en los clubes

___ No paseo. Estoy en casa todo el fin de semana.

7. ¿Qué otras actividades tiene Ud. los fines de semana?

___ Planto árboles y flores en mi jardín.

___ Estudio idiomas, especialmente el español.

___ Charlo con mis amigos y colegas.

___ Esquío, patino, o participo en otros deportes.

___ Busco una playa.

___ Camino en los bosques o las montañas.

8. ¿Qué programas de televisión mira Ud.?

___ los documentales sobre países o animales

___ los noticieros *(news programs)*

___ los programas de misterio

___ los juegos *(game shows)*

___ las telenovelas *(soap operas)*

___ las películas *(the movies)*

___ las entrevistas con personas famosas

___ las comedias o los programas cómicos

Formación de la lengua

I Los verbos -er -ir tiempo presente.
Observar y comparar.

	-ar tomar	*to take, to drink*	-er comer	*to eat*	-ir vivir	*to live*	
yo	tom	**o**	com	**o**	viv	**o**	
tú	tom	**as**	com	**es**	viv	**es**	
él /ella /Ud	tom	**a**	com	**e**	viv	**e**	
nosotros	tom	**amos**	com	**emos**	viv	**imos**	
vosotros	*tom*	*áis*	*com*	*éis*	*viv*	*ís*	≈
ellas/os/ Uds.	tom	**an**	com	**en**	viv	**en**	

There are three groups of Spanish verbs: verbs ending in **-ar,** verbs ending in **-er**, and verbs ending in **-ir**. You have already learned the present tense of the first group. Now you will learn the second and third groups. Fortunately the second and third group of verbs are almost the same. Study the model verbs. Notice the similarities and differences in the endings.

What are the important differences? _____

EJERCICIO 1. Preguntas

Conteste las preguntas en frases completas.

1. ¿Qué aprende Ud. en esta clase?
2. ¿Lee Ud. libros o revistas?
3. ¿Escribe Ud. muchas cartas?
4. ¿Recibe Ud. muchas cartas?
5. ¿Estudia Ud. francés?
6. ¿Comprende Ud. español?
7. ¿Comprendo yo español?
8. ¿Escribe Ud.informes *(reports)* en su trabajo?
9. Por la noche, ¿lee Ud. o mira televisión?

≈ *As indicated previously, the* **vosotros/as** *forms are used only in certain parts of Spain.Because of their restricted usage, they will not be practiced actively in this text. However they wil be listed so you can recognize them.*

EJERCICIO 1: Mi amigo Rodrigo y yo. Verbos -ar -er -ir.

Llene los espacios en blanco con las formas correctas de los verbos.

1. Rodrigo y yo **(vivir)** _____ en la misma *(same)* ciudad

2. Yo **(vivir)** _____ en el norte.

3. Rodrigo **(vivir)** _____ en el sur.

4. Rodrigo y yo **(estudiar)** _____ en la universidad.

5. Rodrigo y yo **(comer)** _____ a las siete todas las noches.

6. Yo **(comer)** _____ con mi familia.

7. Rodrigo **(comer)** _____ en un restaurante.

8. Rodrigo y yo **(beber)** _____ por la noche.

9. Yo **(beber)** _____ agua o vino.

10. Rodrigo **(beber)** _____ leche.

11. Rodrigo y yo **(recibir)** _____ cartas todos los días.

12. Yo **(recibir)** _____ cartas de mi familia.

13. Rodrigo **(recibir)** _____ cartas de su novia.

14. Rodrigo y yo **(tomar)** _____ el metro en las mañanas.

15. En las tardes, yo **(caminar)** _____ a mi casa.

16. Rodrigo **(pasear)** _____ con su novia por las tardes.

13. Y Uds.

    ¿dónde **(vivir)** _____

    ¿dónde **(comer)** _____ generalmente?

    ¿dónde **(pasear)** _____ en las tardes?

Otros verbos -er, -ir

aprender	*to learn*
comprender	*to understand*
correr	*to run*
creer	*to believe*
leer	*to read*
prometer	*to promise*
vender	*to sell*

escribir	*to write*
partir	*to leave*
recibir	*to receive*
subir	to go up

EJERCICIO 3.   ¡Vamos a pasear a la granja de mis padres!   Verbos _ar, _er, _ir.
Llene los espacios en blanco con las formas correctas de los verbos.

Mis amigos y yo (vivir) _____ en la ciudad y (visitar) _____
la granja de mis padres a menudo.

Primero, (mirar) _____ los animales en el rancho. Ellos generalmente (correr)
_____ en las praderas (*meadows*) y (beber) _____ agua de los ríos .

Mis padres (recibir) _____ a muchos amigos en la granja. Nosotros
(viajar) _____ en un auto los fines de semana

Otras personas (llegar) _____ en tren, pero todos (partir) _____ el
domingo. ¡Qué lástima! Todos (trabajar) _____ en la ciudad.

Dinámica

El círculo de la amistad.

The students are in a circle.One of them holds some wool or thick thread. This person
will say something about another student in the circle. At the same time, he/she
throws the wool or the thread, holding one end, to the peson referred.

Ejemplo:

Miguel nada en la piscina a veces.   (*Throwing the wool/thread to Miguel*)

Lucía camina con su perro por las tardes.   (*Throwing the wool/thread to Lucía*)

II   Uso de la « a » personal.

El muchacho mira **a** su compañera.

La mujer mira el computador.

In Spanish, the letter **a** is placed in front of any word referring to a specific person or persons when it is the object of a verb.

*If a thing is the object, there is no **a.*** You can think of it as Spanish courtesy: People are not treated as objects.

Miro los autos.	*I watch the cars.*	Observo los pájaros.	*I observe the birds.*
Miro **a** Roberto.	*I watch Roberto.*	Observo **a** los niños.	*I observe the children.*
Visito el museo.	*I visit the museum.*	Comprendo español.	*I understand Spanish.*
Visito **a** mis tíos.	*I visit my aunt and uncle.*	Comprendo **a** mi tío.	*I understand my uncle.*

EJERCICIO 1. ¿Con o sin a ?

Use a cuando es necesario. Practique con todas las posibilidades.

Ejemplo: Fernando mira a los niños / Fernando mira los pasaportes

a) Necesitan   los pasaportes.

b) Buscamos   una secretaria.

c) Fernando recibe   **¿a?**   los museos.

d) Marcelo necesita   un taxi.

e) Mi hermana observa   los niños.

f) Tú visitas   los documentos.

g) A veces usamos   la familia.

EJERCICIO 2: ¡Qué preguntas!

Responda a las siguientes preguntas de su compañero/a.

a) ¿Qué necesita Ud.?

b) ¿A quién necesita en su vida?

c) ¿Llama Ud. a muchos amigos por teléfono?

d) ¿Visita Ud. al doctor con frecuencia?

e) ¿Usamos un libro en la clase?

f) ¿Mira su familia televisión los viernes?

III Verbo <tener que>, <hay que> y las obligaciones.

To express obligation or necessity, the verb **tener** or **hay** are used with que and an infinitive. **Tener que + infinitivo = obligación**

A.- Use the forms of **tener**; add **que** and a verb in the *infinitive* form to show obligation..

tengo que trabajar	**tenemos que estudiar**
tienes que trabajar	*tenéis que estudiar*
tiene que trabajar	**tienen que estudiar**

Ejemplos.   Andrés, **tenemos que** hablar de la fiesta.
Andrew, we have to talk (must) about the party.

¡Ahora no! **Tengo que** estudiar hasta las cinco.
Not now ! I have to study (must) until five o'clock.

EJERCICIO 1. Obligaciones con la familia.
Complete las frases con la forma correcta del verbo tener.

1. (Yo) _____ que saludar a mi tía en su cumpleaños.

2. Mis abuelos no _____ que trabajar ahora.

3. Mi primo y yo _____ que practicar los verbos hoy.

4. Mi madre _____ que hablar con la doctora.

5. Mis hermanos _____ que mirar sus libros de geografía

6. Ud. _____ que visitar a sus sobrinos.

7. Pepe, tú _____ que bailar con tu hermana.

8. Los hijos _____ que escuchar a los padres, pero los

   padres también _____ que escuchar a los hijos, ¿no?

B - *Use the form* **hay** *plus* **que** *and an infinitive to express what one should do in general or what it is necessary to do.*

Hay que participar en la clase.   *One (you, we, anybody) should participate in class.*
Hay que caminar a menudo.   *It is necessay to walk often.*
Y **hay que** nadar a veces.   *And it is necessary to swim at times.*

Note *that* **hay que** *does not have a specific subject.* Use **tener que** when you want to mention the a subject, (yo, tú, él, ella...)
Ella tiene que participar en la clase. **Tú tienes que** estudiar los verbos en español.

EJERCICIO.   Situaciones.

Invente Ud. frases originales con **tenemos que / hay que + infinitivo** para las

siguientes situaciones:

Ejemplos.   En el verano, - **tenemos que** caminar en los parques o calles.

- **hay que** esquiar en el agua.

- **tienes que** tomar sol a veces, no siempre..

- y **hay que** usar lociones para el sol.

En una fiesta,   _____

_____

_____

_____

En la casa de los abuelos...

Durante el invierno en Canadá...

Vamos a practicar

asistir *to atend*
comer *to eat*
gritar *to scream*
llegar *to arrive*
ofrecer *to offer*
ser
tener

Actividad 1

1) El cumpleaños de Federico _____ hoy.

2) Federico _____ 19 años ahora.

3) Los amigos _____ una fiesta de sorpresa.

4) Federico _____ a la fiesta muy contento.

5) Cuando Federico _____ , todos los
amigos_____ ¡Feliz cumpleaños!

6) Todos _____ el pastel de cumpleaños.

Actividad 2.

Mis actividades favoritas

Work in small groups or with the whole class..

Modelo.   - En las fiestas yo bailo mucho. ¿ y tú? *(talking to a classmate)*

- Yo también y yo canto mucho en las fiestas ¿y tú? *(pick someone else)*

1 - en la universidad   **5** - en la clase de español

2 - en el café   **6** - en la playa

3 - en el parque   **7** - en la discoteca

4 - en las montañas   **8** - en el lago

                        9 - en las calles

El anciano y el ladrón.   ***The old man and the thief.***

Actividad 3. Invente diálogos.

Las palabras del anciano.

_____

_____

_____

_____

Las palabras del ladrón.

_____

_____

_____

_____

Mi diario personal

Write in your diary about your work and pleasure. First, write the date. Then divide the page in half. Mark trabajo on one half and placer on the other. Ask yourself first:

¿Cuántas horas para el trabajo?   ¿Cuántas horas para el placer?

How many hours for work?   *How many hours for pleasure?*

Just for fun, take a count of aproximately how many hours of that day you dedicated to each of these persuits. **Are you leading una vida equilibrada (a balanced life)?** Write in Spanish about your work and activities, even about little things like listening to the radio or chatting with friends, how much you like your computer or don't like your *boss* **(jefe, jefa)**. Try to stay within the limits of what you know, but don't worry about being totally correct.

Just imagine you are trying to communicate using the vocabulary and structures you have learned so far.

The challenge is to say a lot with a little!

Capítulo cuatro

La ciudad y el campo

The City and the Countryside

Lista de temas

	página
Vocabulario activo	
La vida urbana y la vida rural	**140**
Vamos a escuchar	
Dos descripciones	**144**
En el mercado	**146**
Formación de la lengua	
I Verbos un poco irregulares. **Hacer** *(to do or to make)*	**147**
II Los verbos **hacer y hay** para hablar del clima	**151**
III El verbo **ir** *(to go)*	**153**
IV El verbo **ir + a + infinitivo** para hablar del futuro	**154**
Vamos a practicar	
Un juego. El campo y la ciudad	**156**
Mi diario personal	**156**

Vocabulario activo: La vida urbana y la vida rural

En Canadá la mayoría de la población vive en las ciudades. También hay familias en el campo. Vamos a comparar los dos tipos de vida: la vida urbana y la vida rural.

sol

nubes

casa

granero

tractor

camión

granjera

granjero

vaca

caballo

huerta

verduras

ovejas

pollos

perro

jardín

puerco

Los niños plantan un árbol.

En la granja   *On the farm*

Amores perros
CINE
correos
quiosco
vendedora
periódicos
revistas
POLICIA
BANCO
ANDES APARTAMENTOS
supermercado
peligro
iglesia
SEGUROS
TIENDA EL MUNDO
parada de bus
La gente espera el bus.
portafolio
un hombre de negocios
una mujer de negocios

En la ciudad   *In the city*

EJERCICIO 2.   Preguntas sobre la ilustración.

1. ¿Está la iglesia al lado del banco?   2. ¿Quiénes caminan en la calle?

3. ¿Qué tienen en la mano?   4. ¿Cómo se dice *danger* en español?

5. ¿Dónde está la vendedora?   6. ¿Qué vende la vendedora?

7. ¿Cuántas personas esperan el autobús?

8 ¿Adónde caminamos cuando necesitamos… dinero ($$)? ¿bananas? ¿protección personal?

¿protección para la casa o el auto? ¿estampillas? *(stamps)* ¿una atmósfera religiosa?

Elementos de la naturaleza

agua, el	*water*
aire, el	*air*
comida, la	*food*
espacio, el	*space*
luz, la	*light*

Palabras descriptivas

buen, bueno/a	*good*
contaminado/a	*polluted*
mal, malo/a	*bad*
mejor	*better*
peor	*worse*
puro/a	*pure*

Lugares

centro comercial	*shopping mall*
cine, el	*the movies*
concierto, el	*concert*
correos	*post office*
discoteca, la	*dance club*
estadio, el	*stadium*
huerta	*vegetable garden*
iglesia	*church*
teatro, el	*theatre*

Problemas urbanos y rurales

accidente, el	
contaminación, la	*pollution*
crimen, el	
peligro, el	*danger*
robo, el	*theft*
tensión, la	
tráfico, el	

Acciones

conocer	*to know (by experience)*
hacer	*to make, do*
saber	*to know (by rote)*
salir	*to go out*

EJERCICIO 3. Práctica de vocabulario.

Complete Ud. las frases con las palabras apropiadas.

Ejemplo. El cine y los conciertos de música son...**diversiones**

1. Un peligro de la ciudad es el...   autobús
2. En ciudades con muchas industrias, el aire está...   diversiones
3. Los granjeros manejan ...   revistas
4. En los océanos y ríos, hay mucha...   tiempo
5. En el quiosco la gente compra...   robo
6. Dos peligros de la vida urbana son...   tractores
7. En las grandes ciudades no hay mucho...   agua
8. La gente del campo depende mucho del ...   espacio
9. Muchas personas sin *(without)* autos toman el...   el crimen y el tráfico
                                                          contaminado

---

Notas de vocabulario.

1. There is a difference between **jardín** and **huerta**.   A **jardín** has *flowers* and a **huerta** has *vegetables or fruits.*

Ejemplos. Las rosas de mi **jardín** son rojas y amarillas.

Cosechamos las verduras de la **huerta** en septiembre.

2. There is a difference between **saber** y **conocer.** *Saber* is to know something by memorizing it, such as items that can be listed, like names or phone numbers. **Conocer** is to know by the senses *(become acquainted with)* such as to know a person or place.

Ejemplos.   Mi hija **conoce** París y otras ciudades europeas.

Los estudiantes **saben** español.

Vamos a escuchar

Dos descripciones: Lea (y escuche) las dos descripciones y haga el ejercicio.
Compare respuestas con sus compañeros.

A. Habla una mujer del campo.

¿Cómo es mi vida?

Es tranquila. Soy granjera. Vivo en una granja con mi esposo y mis tres hijos. Tenemos una casa, una granja, vacas, caballos, un camión, y... ¡muchas deudas *(debts)*! Ahora es difícil. Necesitamos un nuevo tractor porque nuestro tractor está malo. Pero no hay dinero. La economía es mala para la agricultura. Trabajamos mucho en los campos, y con las máquinas... Todos los días los animales tienen que comer. Los niños trabajan también. Siempre hay trabajo en el campo. Pero estoy contenta. Me gusta vivir en el campo. Es una vida natural. Hay luz y espacio. El aire es puro. Para comer, tenemos verduras frescas del huerto. Hay poco crimen y poco tráfico.

No tengo jefe *(boss)*. Por la noche miro las estrellas y escucho el profundo silencio.

Soy libre *(free)*. Soy feliz.

B. Habla un hombre de la ciudad.

¿Cómo es mi vida?

Es variada. Soy ingeniero civil. Vivo con mi familia en la ciudad. Cada *(each)* día es diferente. Los fines de semana hay diversiones: la ópera, el cine, el teatro... Los sábados, nadamos en la piscina con nuestros hijos o compramos cosas en las tiendas. Los domingos, nos gusta comer en un restaurante. Durante la semana, trabajo en mi oficina. A veces visito los sitios de construcción, y hablo con los arquitectos. Pero mi vida tiene aspectos negativos. Mi jefa es una persona rígida. En la oficina hay una atmósfera de tensión. Manejo el auto todos los días. Hay mucho tráfico y el aire está contaminado. Mi esposa trabaja como contadora. A las seis de la tarde, ella y yo estamos muy cansados *(tired)*. Mi vida es un poco frenética. Pero me gusta. Estoy contento.

EJERCICIO 1.   Una comparación.

1. ¿Qué aspectos positivos hay en la vida de la mujer del campo?

2. ¿Qué problemas tiene?

3. ¿Qué aspectos positivos hay en la vida del hombre de la ciudad?

4. ¿Qué problemas tiene él?

5. Y Ud., ¿es un hombre (una mujer) del campo o de la ciudad? ¿Qué aspectos positivos hay en su vida? ¿Qué problemas tiene Ud.?

EJERCICIO 2: Entrevista rápida.

Hable con un/a compañero/a, usando estas preguntas.

1.   ¿Dónde vives tú? ¿en el campo o en la ciudad?

2.   ¿En una casa o en un apartamento?

3.   ¿Cómo es tu vida? ¿tranquila? ¿frenética?

4.   ¿Qué haces *(do you do)* los domingos?

5.   ¿Qué pasa en tu vida? ¿Hay una diferencia entre los fines de semana y los otros días?

Mi compañera compra en las tiendas los domingos.

En el mercado.

Observe la ilustración. Escuche el disco compacto y complete el ejercicio.

1. La señora necesita

___ comprar libros y lápices

___ beber vino y cerveza

___ comer frutas y verduras frescas

2. El hombre vende

___ verduras

___ frutas y verduras

___ casas

3. El precio del kilo de tomates es

___ 10 pesos

___ 20 pesos

___ 60 pesos

4. La señora es estudiante de español en

___ Canadá

___ Guatemala

___ Paraguay

___ Perú

5. La estudiante compra

___ tomates y uvas

___ manzanas

___ tomates y bananas

___ bananas, tomates y manzanas

Formación de la lengua.

I Verbos «un poco» irregulares. Hacer

The verb **hacer** is only irregular in the **yo** form in the present tense. It is very useful because it means both *to do or to make*. ≈

hago	hacemos
haces	hacéis
hace	hacen

Which form is the irregular one?

_____

Hago empanadas.

EJERCICIO 1. Relaciones

Escoja la respuesta correcta para cada pregunta.

1.¿Dónde hacemos la clase?

2.¿Qué hace mamá para la fiesta?

3.¿Qué hacemos ahora?

4.¿Qué haces con un libro?

5.¿Quiénes hacen casas de nieve *(snow)*?

---

a. un pastel *(cake)* de chocolate

b. practicamos el verbo **hacer**

c. los inuits en el norte

d. en la sala de clase

e. leo

≈ *If you have studied French, you can think of* **hacer** *as being similar to the French verb* **faire.**

EJERCICIO 2. Preguntas.

Observe las ilustraciones y conteste las preguntas.

1. ¿Qué hacen las amigas?

2. ¿Qué hace la gente en una fiesta?

3. ¿Qué hace la muchacha?

5. ¿Qué hace la gente en el supermercado?

6. Finalmente, ¿Qué hace Ud. por las tardes? ¿escribe cartas? ¿lee el periódico? ¿estudia español?

¿Qué hacemos?

Bailamos en la fiesta

Hago un vestido.

Otros verbos un poco irregulares.

There are a few very useful verbs that are almost regular. They have only a small irregularity in the yo form. All the other forms of these verbs are regular.

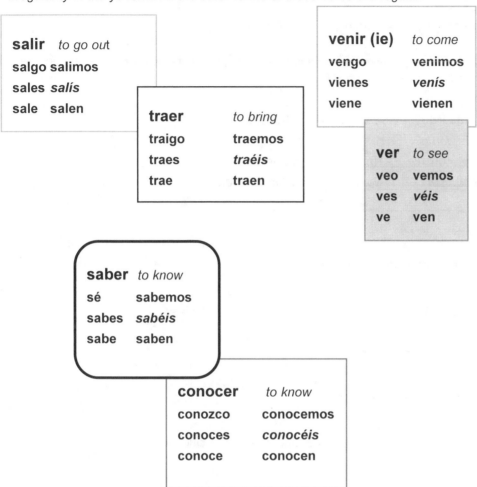

salir *to go out*

salgo salimos
sales *salís*
sale   salen

traer   *to bring*

traigo   traemos
traes   *traéis*
trae   traen

venir (ie)   *to come*

vengo   venimos
vienes   *venís*
viene   vienen

ver *to see*

veo vemos
ves *véis*
ve   ven

saber *to know*

sé   sabemos
sabes   *sabéis*
sabe   saben

conocer   *to know*

conozco   conocemos
conoces   *conocéis*
conoce   conocen

EJERCICIO 2: Preguntas personales

1. ¿Sale Ud. con sus amigos los viernes por la noche?
2. ¿Qué trae Ud. a la clase de español?
3. ¿Cuándo ve a sus parientes?
4. ¿Sabe Ud. el secreto de la felicidad? ¿Cuál es?
5. ¿Cuándo vienen muchos turistas a conocer Alberta?
6. ¿Qué ciudades canadienses conoce Ud.?
7. ¿Cuánto sabe de español?
8. ¿Qué personaje famoso conoce Ud.?

Nota de interés.

Conocer: to know by experience ___ **Saber: to know by rote.**

To know in English is translated to Spanish by either **conocer** *(for people or places that require experience or aquaintance to get to know)* or **saber** *(for names, numbers or facts that are learned by rote).*

- **¿Conoce Ud. a mi amigo Eduardo?**   **- Sí, conozco a Eduardo.**
   Do you know my friend, Eduardo?   *- Yes, I know Eduardo.*
- **¿Sabe Ud. su número de teléfono?**   **- No, no sé su número.**
   Do you know his phone number?   *- No, I don't know his number.*

EJERCICIO 1. ¿Saber o conocer?

Complete las frases con la forma correcta de saber o conocer.

1. Ricardo, ¿ _____ Ud. el nombre de nuestro Primer Ministro?

2. ¿ _____ Ud. la ciudad de Ottawa?

3. (Yo) no _____ cómo ir al nuevo centro comercial.

4. Mis primas _____ a muchos salvadoreños que viven en la ciudad.

EJERCICIO 2. ¿Qué conoce o sabe Ud.?

Yo conozco   _____
                     _____
                     _____

Yo sé   _____
                     _____
                     _____

---

e y **hay** + expresiones del tiempo -

Weather Expressions

¿Qué tiempo hace hoy?	What's the weather like today?
Hace buen (mal) tiempo	The weather's fine (bad)
Hace (mucho) calor	It's (very) hot.
Hace (mucho) frío	It's (very) cold.
Hace (mucho) viento	It's (very) windy
Hay… sol, nubes	It's… sunny, cloudy
Hay… lluvia, nieve	It's rainy, snowy
Hay una tormenta.	It's stormy

The general rule is to use **hace** with weather conditions such as heat or cold; elements we feel but can not see.   Use **hay** for elements that we can see.

Notice that mucho/a is used rather than muy in expressions that use **hace** or **hay**.

Hace mucho calor.   *Literally - It makes a lot of heat .*
   Free translation - It's very hot.

Hay muchas nubes.   *Literally - There are many clouds.*
   Free translation - It's very cloudy.

EJERCICIO 1. ¿Qué tiempo hace?

Llene los espacios con **hay** o **hace**, de acuerdo con el modelo.

Modelo.   ¿**Hace** o **Hay**? _____ frío en las montañas.

_____ **Hace frío** en las montañas.

a) _____ calor en las playas (beaches).

b) _____ sol en Alberta, muchos días del año.

c) _____ lluvias en Ontario.

d) _____ viento en la ciudad de Calgary.

e) _____ tormentas en las costas del Atlántico.

f) _____ mucho frío en el invierno canadiense.

g) _____ nubes en Red Deer hoy.

h) _____ mucha nieve en Winnipeg.

Otros elementos del clima y hay ≈

relámpago	*lightening*
trueno	*thunder*
granizos	*hail*
tempestad de	*storm*
viento	
nieve	
arena	*sand*

EJERCICIO 2.   Descripciones del tiempo.

Trabaje con un compañero/a. Relacione las condiciones climáticas con **hacer** o **hay**. Inventen por lo menos *(at least)* ocho frases.

viento   calor   relámpagos

mucho frío   media luna

lluvias

nieve   tempestad de nieve

tornados   mal tiempo   truenos

**¿Hay
o
Hace?** .

Ejercicio 3. El tiempo.

Describa el tiempo en la ilustración.

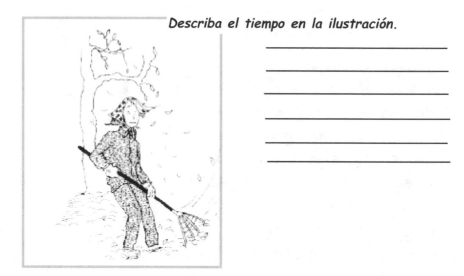

_____
_____
_____
_____
_____
_____

≈   *There are verbs with the weather expressions:* **llover, granizar, tronar** *and they are used only in the third person, singular-* **llueve, graniza, truena** *(it is raining, it is hailing, it is thundering).*

III Un verbo importante. Ir

Ir *is a very common and useful verb. It means **to go**.*
The most irregular feature of the verb ir is its infinitive.
Observe.

Besides the infinitive, what other form seems irregular?

_____

What verb that you know has a similar irregular form?

_____

voy	*I go*	**vamos**	*we go*
vas	*you go*	**váis**	*you all go*
va	*he, she, it goes*	**van**	*they, you all go*

Expresiones

ir a caballo   *to go horseback riding*

ir de paseo   *to go for a walk (or a ride)*

ir en bicicleta *to ride the bicycle*

EJERCICIO 1.   ¿Adónde va la gente?

Complete las frases con la forma correcta del verbo ir.

1. La mujer de negocios _____ a su oficina a las nueve.
2. Y tú, Pepe, ¿adónde _____? ¿a la escuela?
3. A veces (yo) _____ de paseo en el auto de mis tíos.
4. ¡Hola, Jaime y Adriana! ¿_____ Uds. al centro ahora?
5. No, Adriana y yo _____ al hospital a visitar a nuestra abuela.
6. ¿Adónde _____ Ud. de vacaciones este verano?
7. Mis padres _____ a Lima de vacaciones.
8. Y mi jefe _____ a Quito.

EJERCICIO 2.   La gente va en....

1.   Yo _____ en bicicleta a la oficina.

2.   Tú _____ en el metro a la universidad.

3.   Los albertanos _____ en avión a Montreal.

5.   Mi hermano _____ en patines a la escuela.

6.   Sofía _____ en motocicleta al banco.

7.   Los estudiantes _____ en auto a las montañas.

8.   El granjero _____ a caballo al río.

IV   Ir + a + el infinitivo para expresar el futuro.

verbo ir	+	a	+	infinitivo	= futuro
voy	+	a	+	mirar	el cielo
vas	+	a	+	plantar	árboles
va	+	a	+	correr	en el campo
vamos	+	a	+	recibir	sorpresas
vais	+	*a*	+	*comer*	*chocolates*
van	+	a	+	estar	contentos

The construction **ir a + infinitivo** is identical to the English **I am going to (+ infinitive)**.
This is one way to talk about the future.

- ¿Qué vas a hacer esta noche?   - Voy a estudiar.
- *What are you going to do tonight?*   - *I'm going to study.*

EJERCICIO 1.   ¿Qué va a hacer Ud. esta noche?
Conteste en frases completas.

1. ¿Va a trabajar?
2. ¿Va a visitar Ud. a su abuela?
3. ¿Va a mirar Ud. televisión?
4. ¿Va a leer una revista?
5. ¿Va a beber una cerveza?
6. ¿Va a ir al cine?
7. ¿Va a ir al centro comercial?
8. Y ahora, la pregunta importante...
   ¿Va Ud. a estudiar español esta noche?

EJERCICIO 2. Nuestros planes para el verano

Pregunte a un compañero de la clase acerca de sus planes para el próximo (next) verano y describa

a la clase los planes de su compañero.

Modelo.

___ Compañero/a, ¿qué vas a hacer el próximo verano?

___ El próximo verano voy a... (trabajar en Manitoba, visitar México,

estudiar francés en Quebéc, etcétera) ___ Y tú, ¿qué vas a hacer?

Finalmente, informe a la clase.

___ Mi compañero/a va a ... (trabajar en Manitoba, etc.)

Vamos a practicar

Actividad 1. ¡La naturaleza!

Comentar con su instructor/a y compañeros esta ilustración.

Adoro la naturaleza. Aquí voy a construir una casa con cuatro
garages, con aire acondicionado, voy a traer un bote
con motor para recorrer el lago.
¡ Oh la naturaleza !

Mi diario personal. El tiempo y nosotros.

Hay personas sensibles al tiempo. Hay otras personas no muy sensibles al tiempo. ¿Cómo es Ud.? ¿Es Ud. una persona sensible al tiempo? ¿Tiene el tiempo influencia en sus emociones?

Are you a weather-sensitive persona? What influence does the weather have on your life? Keep a record (in Spanish, ¡por supuesto!) in your personal diary for one week and include the following:

1) *The day and date*

2) *A description of the weather*

3) *A commentary about what you are doing and how you are feeling*

Modelo

Viernes, veinte y dos de octubre

Querido Diario:

Hace buen tiempo hoy. Hay sol.

No hay muchas nubes. No hace viento. La temperatura es más o menos doce grados centígrado.

Me gusta el tiempo, pero no estoy bien. .

Estoy mal. Estoy cansado (cansada). Tengo muchos problemas con el dinero. Esta tarde voy a charlar con mi amiga Ana y mañana voy a mirar un partido de fútbol canadiense.

Capítulo cinco

Con sabor   *With flavor*

Lista de temas

Vocabulario activo   página
    La comida   **158**
    Me gusta...   *I like...*   **162**

Vamos a escuchar
    Las comidas en España y Latinoamérica   **164**

Formación de la lengua
    Verbos que cambian de raíz   **165**

Vamos a practicar
    Gustos y preferencias   **169**
    Mi diario personal   **170**

Vocabulario activo.   La comida   *(Food)*

En Canadá tenemos la oportunidad de comer en restaurantes étnicos. Hay restaurantes que sirven comida española, chilena, mexicana, salvadoreña, etcétera. Vamos a aprender de algunos tipos de comida y cómo pedir *(how to order)* en un restaurante.

En el restaurante

camarero/a, el (la)	server, waiter, waitress
cuenta, la	(the) bill
dejar la propina	leave the tip
huevos, los	eggs
menú, el - carta, la	menu
pimienta, la	pepper
picante	spicy
precio, el	price
tarjeta de crédito	credit card

Comida básica

azúcar, el	sugar
mantequilla, la	butter
pan, el	bread
queso, el	cheese
sal, la	salt

Bebidas

cerveza, la	beer
jugo	juice
leche, la	milk
refresco, el	soda, pop
té, el	tea
vino, (tinto, blanco) el	(red, white) wine

Platos pequeños — Side dishes

ensalada, la	salad
jamón, el	ham
lechuga, la	lettuce
papas, las	potatos
postre, el	dessert
sandwich, el	sandwich
sopa, la	soup
verduras, las	vegetables

Platos fuertes — Main dishes

arroz, el	rice
bistec	steak
carne de res	beef
carne de vaca	beef
carne, la	meat
fideos, los	pasta
mariscos, los	seafood
≈ 1 pescado, el	fish
pollo, el	chicken
puerco, el	pork

Para pedir *(to order).*

2 Me (nos) gustaría(n)...*I, (We) would like...*
Le (les) gustaría(n)... *He/She (They) would like..* } **Condicional**

Me gusta (n) ... *I like*
Le gusta (n) .... *She, he, you (formal) like...* } **Presente**

≈ 1. **Pescado** *is the* **caught fish.** *The word* **pez (peces)** *is used for a live fish.*

≈ 2. *The form* **gustaría** *is used when saying you would like one thing; the form* **gustarían** *when saying you would like someting in the plural, like* **fideos** *or* **mariscos**.

EJERCICIO 1. Asociaciones.

1. pan y ...
2. sal y ...
3. café con ...
4. una botella de ...
5. jamón y ...
6. un vaso de ...

EJERCICIO 2. ¿Qué necesita Ud.?

1. Va a preparar una ensalada.
2. Para hacer un sandwich. ...
3. Para la comida italiana....
4. Cuando hay gente vegetariana. ...
5. Para preparar una buena sopa.
6. Para pagar la cuenta.

Los cubiertos

cuchara, la	*soup spoon*
cucharita, la	*tea spoon*
cuchillo, el	*knife*
plato, el	*plate*
servilleta, la	*napkin, serviette*
tenedor, el	*fork*

tazas

platos

Las comidas   *meals*

almuerzo, el	*lunch*
cena, la	*supper*
comida, la	*dinner*
desayuno, el	*breakfast*
merienda, la	*snack*

desayunar	*to breaksfast*
almorzar (ue)	*to eat lunch*
cenar	*to dine, eat supper*

Acciones

≈	comenzar (ie)	*to begin*
	entrar	
	gustar	*to like*
	pagar	*to pay*
≈	pedir (i)	*to ask, to order*
≈	pensar (ie)	*to think*
≈	poder (ue)	*to be able, can*
≈	querer (ie)	*to want, to love*
	salir	*to go out*
≈	servir (i)	
	traer	*to bring*
	venir	*to come*
≈	volver (ue)	*to come back*

Adjetivos

caliente	*hot (not spicy)*
dulce	*sweet*
frío/a	*cold*
salado/a	*salty*

≈ *These verbs are stem-changing verbs. Their forms are a little different from the regular verbs. Explanations on page 165.*

≈ **Satisfecho/a** *is the best adjective to express the idea that we do not want anymore food to be served.*

EJERCICIO 3.   En orden, por favor.

Write the accions in sequence.

¿Qué pasa primero?   ¿Qué pasa después?

Ponga las siguientes frases en el orden correcto (1 a 10)

Una cena en el restaurante.

a. ___   Salimos del restaurante.

b. ___   Comemos el postre.

c. ___   Tenemos que pagar la cuenta.

d. **1**   Entramos en el restaurante.

e. ___   Pedimos la comida y las bebidas

f. ___   Leemos el menú.

g. ___   Comemos el plato fuerte.

h. ___   Tomamos una sopa o ensalada.

i. ___   Dejamos la propina.

j. ___   Saludamos al camarero.

The idea of **liking** implies an attraction between us and an object (or person or idea). In English we think of the attraction as starting in us. We like something. In Spanish we think of the attraction as coming out from the thing or person liked.

It is pleasing to us.

You will study more about indirect pronouns later, after you have learned more Spanish. For now, you should practice understanding and using the following forms.

- ¿**Le** gusta? *Do you (Ud.) like it?*   - Sí, **me** gust**a**.   *Yes, I like it.*

- ¿**Te** gusta? *Do you (tú) like it?*   - No, no **me** gusta.   *No, I don't like it.*

- ¿**Le** gust**an**? *Do you (Ud.) like them?*   - Sí, **me** gust**an**.   *Yes, I like them.*

- ¿**Te** gust**an**? *Do you (tú) like them?*   - No; no **me** gustan.   *No, I don't like them.*

- ¿**Le** gust**a** la comida?   - Sí, me **gusta** la comida.

- ¿**Le** gust**an** los postres?   - Sí, me gustan los postres.

- ¿**Les** gustan las verduras?   - Sí, nos gustan las verduras.

- ¿**Les** gusta el pan tostado?   - No, no nos gusta el pan tostado.

Gusta y **gustan** son las formas del verbo **gustar.**

El sujeto es: los postres, las verduras, el pan tostado, etc.

Me, te, le, nos, os les is *to me, to you, to her, to him, to you (formal);to us;*

to all of you, to them, **Indirect Pronouns.**   *(See more explanations on the next page)*

Now, using the chart that follows, translate the following sentences, with **like.**

Ejemplo. ¿Les gusta la comida mexicana?   *Do you like mexican food?*

1.   No nos gusta el café frío.   _____

2.   Me gustan las comidas picantes.   _____

3.   Ana, ¿te gusta mi sopa de mariscos?   _____

4.   Niños, ¿les gustan los chocolates?   _____

5   ¿Le gusta más la fruta o los pasteles? _____

English   Spanish

Direct Object   Subject

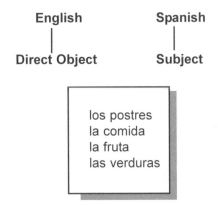

los postres
la comida
la fruta
las verduras

Indirect objects	
me	*to me*
te	*to you, familiar*
le	*to him, to her, to you formal*
nos	*to us*
os	*to you all, in parts of Spain*
les	*to them, to you plural*

I like desserts.   Me gustan los postres.   *To me the desserts are pleasing.*

I like the food.   Me gusta la comida.   *To me the food is pleasing.*

(fruta) _____   _____   _____

(verduras) _____   _____   _____

EJERCICIO 1. ¿Sí o no?

Contestar en forma completa.

1)   ¿Le gustan los fideos?   _____

2)   ¿Le gusta el arroz con pollo?   _____

3)   ¿Les gusta el pescado frito? *(fried)*   _____

4)   ¿Les gustan las frutas de B.C.?   _____

5)   ¿Te gusta **comer** en restaurantes étnicos? _____   ≈

6)   ¿Te gusta **pagar** la cuenta?   _____

7)   ¿Les gustan los vinos chilenos?   _____

8)   ¿Le gusta la carne de Alberta?   _____

Vamos a escuchar.

Lea (y escuche) la lectura y haga
el ejercicio después.

Compare respuestas con sus compañeros.

≈ **Gustar** + infinitive *is always singular.* Nos **gusta** caminar. Le **gusta** bailar.
   Me **gusta** practicar y escuchar el idioma español.

Las comidas° en España y Latinoamérica

meals

El horario° de las comidas en España es un poco diferente del horario canadiense. En Madrid, por ejemplo, mucha gente comienza el día a las 7:30 o a las 8:00 de la mañana. Les gusta un desayuno pequeño: café con leche y pan tostado. Algunas personas almuerzan a las 11:00. Pero muchas no comen hasta° la gran comida de las 2:30 o 3:00 de la tarde.

schedule

until

Esta° es la comida principal. Es grande, con varios platos. La mayoría de los españoles comen este almuerzo en casa con su familia. Por eso, hay mucho tráfico a las 2 de la tarde.

This

Los españoles cenan muy tarde, a las 9 o 10 de la noche. Mucha gente necesita comer antes° de la cena. Una costumbre° muy española es el paseo a las 6 o 7 de la tarde. La gente sale a pasear, usualmente en el centro de la ciudad. Saludan a sus amigos y toman una copa (bebida alcohólica) o una merienda° en un café. Luego, regresan a casa para la cena. Típicamente, la cena es grande con platos variados.

before
custom

snack

En Latinoamérica, el horario es parecido, pero también es un poco diferente en cada país. Es imposible hablar de todas las variaciones regionales y nacionales.

En general, los latinoamericanos toman la comida y la cena un poco más temprano que° los españoles.

than

En algunos países, como México, la cena es más liviana° y se sirve a las 8 o a las 8:30 de la noche.

lighter

Por supuesto, hoy día,° las costumbres cambian° por la necesidad.

nowadays
are
changing

En ciertas partes del mundo hispano, la gente tiene un horario continuo, parecido al horario norteamericano, especialmente en los grandes negocios.° Algunas personas piensan que esto° es más eficiente, pero menos humano.

business
this

¿Qué piensa Ud. de esta opinión? ¿Qué sistema le gusta más?

EJERCICIO 1.   Verdad o Mentira

Escriba **V** (verdad) o **M** (mentira) para cada frase. Corrija *(Correct)* las frases falsas.

1 ___ Generalmente los españoles desayunan con jamón y huevos.

2 ___ El almuerzo es a las ocho de la mañana en España.

3 ___ La comida principal se sirve más o menos a las dos o tres de la tarde.

4 ___ La cena mexicana es más grande que la cena española.

5 ___ Si *(If)* Ud. desea cenar en un restaurante en Madrid, es bueno ir
al restaurante más o menos a las siete de la noche.

6 ___ Muchos españoles pasean a las seis de la tarde.

7 ___ El horario latinoamericano tiene muchas variaciones en diferentes
regiones.

8 ___ En general, los españoles toman la comida principal en un restaurante
con sus compañeros de trabajo.

Formación de la lengua.

I. Verbos que cambian de raíz.   o » ue / e » ie / e » i /

*Some verbs have regular endings, but the vowel in the stem (the first part)
breaks when it is in a stressed syllable.* **Volver** *(to return) is a verb like this.
Compare these forms to the forms of the regular verb* **comer.**

como	comes	come	comemos	coméis	comen
vuelvo	vuelves	vuelve	volvemos	volvéis	vuelven

Are the endings of the two verbs the same or different? _____

What forms of **volver** *do not have a change in the stem?* _____

Other verbs, like **querer,** have the stem vowel of **e**. It breaks into **ie**. You can think of it this way. **These verbs break under strees** *(Lots of us can identify with this idea, right?).* In the verb forms where the stem vowel, **o** or **e,** is not stressed, then it doesn't break. These verbs appear in vocabulary lists and many dictionaries with **(ue)** or **(ie)** written after the infinitive form.

The best way to remember these verbs is to practice them and program them into your memory.

Listen to the following verb forms on the CD and say them aloud. Notice the similar pattern.

o » ue

almorzar *to eat lunch*	**dormir** *to sleep*	**poder** *to be able*	**recordar** *to remember*
almuerzo	duermo	puedo	recuerdo
almuerzas	duermes	puedes	recuerdas
almuerza	duerme	puede	recuerda
almorzamos	dormimos	podemos	recordamos
almorzáis	dormís	podéis	recordáis
almuerzan	duermen	pueden	recuerdan

EJERCICIO 1. Completar

Use la forma correcta de uno de los verbos en la lista para las frases siguientes.

1.- Mis padres siempre_____ un restaurante famoso en Caracas.

2.- Ellos _____ por horas en ese *(that)* restaurante.

3.- El camarero _____ poco en el verano. Hay mucho trabajo.

4.- Mi primo _____ esta semana de España.

5.- Los domingos, la familia _____ en casa de los abuelos.

6.- Los estudiantes _____ aprender los verbos en español.

7.- ¡Nosotros _____ hacer todo!

8.- Generalmente los niños _____ 10 horas en la noche.

9.- ¿Dónde _____ Ud. todos los días? ¿en la casa? ¿en la oficina?

10.- ¿_____ tú leer libros en español?

| recordar |
| hablar |
| dormir |
| volver |
| almorzar |
| poder |
| poder |
| dormir |
| almorzar |
| poder |

e » ie

querer
to want, to love

quiero
quieres
quiere
queremos
queréis
quieren

comenzar
to begin

comienzo
comienzas
comienza
comenzamos
comenzáis
comienzan

pensar
to think

pienso
piensas
piensa
pensamos
pensáis
piensan

preferir
to prefer

prefiero
prefieres
prefiere
preferimos
preferís
prefieren

EJERCICIO 1.   Preguntas para toda la clase

Contesten las preguntas con la forma de **nosotros.**

1.   ¿Quieren Uds. aprender español?
2.   ¿Qué prefieren Uds. - estudiar verbos o mirar televisón?
3.   ¿Almuerzan Uds. por la noche?
4.   ¿Comienzan Uds. a hablar español?
5.   ¿Duermen Uds. en la clase?
6.   ¿Quieren Uds. aprender todos los verbos?
7.   ¿Vuelven Uds. de Santiago pronto?
8.   ¿Piensan Uds. en español a veces?
9.   ¿Piensan Uds. que el español es difícil?

EJERCICIO 2.   Completar la historia

1. Durante la noche, Alicia **(recordar)** _____ su problema.

2. Mañana es el día cuando **(almorzar)** _____ con Martín.

3. El problema es que ahora Alicia no **(querer)** _____ a Martín.

4. Ahora Alicia **(preferir)** _____ salir con Alberto.

5. «¿Qué **(poder)** _____hacer?», Alicia (pensar) _____.

6. «Quizás Martín, Alberto, y yo **(poder)** _____ almorzar juntos *(together)*.

7. Alicia **(pensar)** _____ que su idea no es buena.

8. Alicia **(comenzar)** _____ a buscar otras soluciones.

9. Quince minutos más tarde, Alicia no **(pensar)** _____ porque ella **(dormir)** _____ .

---

	servir (i)
	to serve

e » i

Just to make things challenging, a few Spanish -ir verbs, like **pedir** and **servir**, have a different change. They are listed with **i** after the infinitive. Observe

pedir (i)
to ask for, to order

pido
pides
pide
pedimos
pedís
piden

sirvo
sirves
sirve
servimos
servís
sirven

Modelos. Repita varias veces

dormir	preferir	pedir
o » ue	e » ie	e » i
duermo	prefiero	pido
duermes	prefieres	pides
duerme	prefiere	pide
dormimos	preferimos	pedimos
dormís	preferís	pedís
duermen	prefieren	piden

EJERCICIO 1. Preguntas generales

Conteste las preguntas.

a)   ¿Cuántas horas duerme Ud. todas las noches?

b)   ¿Puede Ud. dormir con truenos?

c)   ¿Qué prefiere comer en la última merienda del día?

d)   ¿Qué pide Ud. en su restaurante favorito?

e)   ¿Prefiere Ud. la comida picante?

f)   ¿Qué sirven en un restaurante mexicano?

g)   ¿Dónde piden Uds. pizza? ¿en el restaurante italiano o en el restaurante chino?

Vamos a practicar.

ACTIVIDAD 1.   Gustos y preferencias

Entreviste a un/a compañero/a. Use la forma de **tú**. Informe a la clase. Use **ella** o **él**....

1.   ¿Qué prefieres comer para el desayuno?

2.   ¿Dónde   almuerzas generalmente? ¿Qué comes? ¿Qué tomas?

3.   ¿Qué prefieres comprar en un mercado? ¿Qué traes para tu comida favorita?

4.   ¿Qué restaurantes te gustan más?

5.   ¿Sales por la noche? ¿Adónde vas? ¿Adónde prefieres ir?

6.   Describe tu cena perfecta

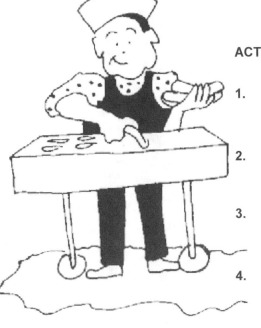

ACTIVIDAD 2. El cocinero.

1.   ¿Le gustan los *"hot dogs"*?
     ¿Piensa Ud. que son "comida chatarra" *(junk food)?*

2.   Generalmente ¿qué pide con su *<perro caliente>*?

3.   ¿Prefiere Ud. comer su almuerzo en la calle ?
     ¿O prefiere un restaurante?¿o en su casa?

4.   ¿Cree que los *hot dogs* son una tradición en Canadá?

Mi diario personal

En el diario personal, vamos a escribir sobre *(about)* la comida, los restaurantes y nuestras preferencias. También podemos escribir sobre nuestras actividades de todos los días. Es importante usar los nuevos verbos.

Capítulo seis

La buena salud

Good Health

Lista de temas

Vocabulario activo

El cuerpo humano   **172**

La cara   **173**

Vamos a escuchar

Una conversación telefónica   **176**

El misterioso problema de Ernesto   **177**

Formación de la lengua

I   Verbos como **gustar**   - **doler, parecer, interesar** **178**

II   Tres dimensiones / aquí, ahí, allí   *Here or there*   **181**

III Tres dimensiones / este, ese, aquel *This or that* **182**

Vamos a practicar

Lectura: María Lozano escribe   **183**

Mi diario personal: Mi estado físico y mental   **184**

Repaso de los capítulos 4, 5 y 6   *Review*   **185**

Vocabulario activo

La salud y las enfermedades   *Health   and   Illnesses*
El cuerpo humano

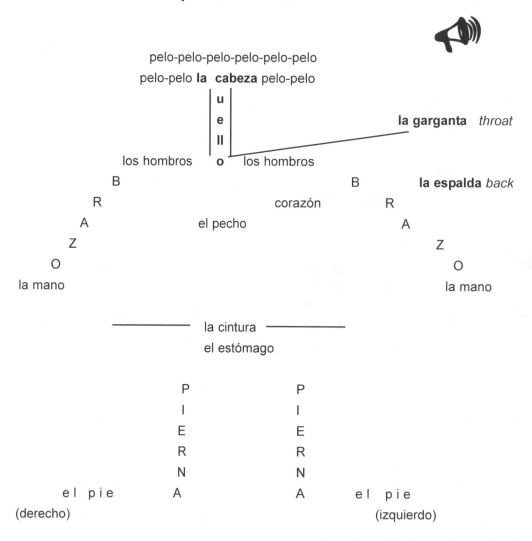

pelo-pelo-pelo-pelo-pelo-pelo
pelo-pelo **la cabeza** pelo-pelo

u
e
ll
o

la garganta *throat*

los hombros   los hombros

B   B

R   R

A   corazón   A

Z   el pecho   Z

O   O

la mano   la mano

la espalda *back*

——————— la cintura ———————
el estómago

P   P
I   I
E   E
R   R
N   N
el p i e   A   A   el p i e
(derecho)   (izquierdo)

EJERCICIO .   El cuerpo humano.

Mire bien «la figura». Escriba las palabras españolas para las siguientes partes del cuerpo.

1. arm   _____   7. leg   _____
2. chest   _____   8. neck   _____
3. foot   _____   9. shoulders _____
4. hair   _____   10. stomach   _____
5. hand   _____   11. waist   _____
6. head   _____   12. heart   _____

La cara   *The face*

el ojo

la oreja
el oído

la boca

la frente

las cejas

la nariz

los labios

los dientes

los anteojos

EJERCICIO 2.   La cara humana

Complete las frases con las palabras correctas.

Todos tenemos una cara diferente y muy personal, pero naturalmente hay puntos similares. Vemos con los dos _____ y escuchamos con las dos _____. Percibimos los olores de la comida o el perfume de las flores, por ejemplo, con la _____.

Cuando comemos, ponemos la comida en la _____.

Si (if)   no podemos ver bien, vamos al oculista para obtener _____
Si tenemos problemas con los _____ , vamos al dentista.

Expresiones con el verbo <u>tener</u>.

to have *(in Spanish)*	to be *(in English)*
tengo calor	*I am hot*
tengo frío	*I am cold*
tengo cuidado	*I am careful*
tengo ... años	*I am ... years old*
tengo sueño	*I am sleepy*
tengo prisa	*I am in a hurry*
tengo razón	*I am right*
tengo hambre	*I am hungry*
tengo sed	*I am thirsty*
tengo miedo	*I am afraid*
tengo dolor	*I am in pain*

Acciones

abrir	*to open*
ayudar	*to help*
cerrar	*to close*
descansar	*to rest*
esperar	*to hope, to wait for*
jugar (ue)	*to play, (sports, cards)*
poner	*to put*
sufrir	*to suffer*

Ejemplos.   ¿Qué te pasa?   *What's the matter?*
- **Tengo** dolor de cabeza   *- I have headache.*
- **Tengo** un dolor de estómago horrible.
                          - I have a terrible stomachache.

Enfermedades

gripe, la	*flu*
resfrío, el	*cold*
fiebre, la	*fever*
dolor, el	*pain*

Personas

médico /a, el, la	
doctor/a, el, la	
enfermero/a, el, la	*nurse*
ayudante, el, la,	*assistant, helper*
el/la enfermo/a	*sick person*
el/la paciente	

Cosas

aspirinas, las	
cita, la	*appointment, date*
droga, la	*drug*
remedio, el	*remmedy*
píldora, la	*pill*
medicamento, el	*medicine*
farmacia, la	*pharmacy*
protección, la	
sala de espera, la	*waiting room*

Cualidades

enfermo/a	*sick*
estar sano	*to be healthy*
estar enfermo	*to be sick*
débil	*weak*
fuerte	*strong*

EJERCICIO 3. Antónimos

Dé un antónimo para cada palabra o frase.

1. temperatura baja del cuerpo _____
2. estoy sano/a _____
3. tengo calor _____
4. no quiero beber _____

5. somos fuertes _____
6. no tenemos apetito _____
7. cierro los ojos _____
8. voy a trabajar _____

EJERCICIO 4. Entrevista con un/a compañero/a

Use las siguientes preguntas en una conversación con un compañero o una compañera de clase.

1.- ¿Qué bebes cuando tienes sed?

2.- ¿Qué comes cuando tienes hambre?

3.- ¿Cuántos años tienes? (¡No es necesario admitir la verdad!)

4.- ¿Tienes miedo de las películas de terror?

5.- ¿Qué haces cuando tienes frío?

Una conversación telefónica.

- Hola, Ernesto ¿Cómo estás?

- ¿Qué tienes?

- Creo que necesitas ver un médico.

- Bueno, hombre. Te voy a llamar
 por teléfono mañana por la tarde...
¡Adiós! Espero que te mejores.

- Hola, Sonia, en realidad estoy muy enfermo.

- No lo sé. Tengo dolor de cabeza, de
estómago... En realidad, todo el cuerpo.

- Sí, tengo una cita con la doctora Hernández
mañana. Por el momento, tomo aspirinas y
mucho líquido.

- Gracias. Espero que sí. Adiós.

EJERCICIO 1.   Preguntas

Conteste las siguientes preguntas de acuerdo al texto.

1. ¿Cómo está Ernesto?
2. ¿Qué dolores tiene?
3. ¿Va a ver a un doctor?
4. ¿Quién va a llamar a Ernesto mañana?
5. ¿Qué va a tomar Ernesto hoy?

EJERCICIO 2. Preferencias.

1.-   Me parece. que Ernesto ...

___ tiene la gripe.   ___ desea descansar.

___ está sano.   ___ tiene razón.

2.   ¿Es importante para Ernesto ...

___ visitar a su abuelo?   ___ usar anteojos?

___ ver a la doctora?   ___ estar débil?

«El misterioso problema de Ernesto».

Escuche la historia en el CD sobre el misterioso problema de
Ernesto varias veces. Después, marque las respuestas correctas:

1. En la sala de espera, ¿qué hace Ernesto?

   a. estudia para un examen

   b. lee una revista y observa a la gente

   c. piensa en su novia y en sus problemas

2. Los síntomas de Ernesto son

   a.   tiene prisa

   b.   tiene dolor de cabeza y de todo el cuerpo

   c.   tiene fiebre y dolor del pecho

3. La doctora Hernández pregunta si Ernesto

   a.   participa en deportes

   b.   tiene problemas en la escuela

   c.   come en casa o en restaurantes

4. Finalmente, la doctora dice que *(that)* Ernesto

   a.   tiene sueño

   b.   sufre una enfermedad grave

   c.   tiene un tipo de gripe

5. Para estar mejor, Ernesto tiene que

   a.   comer y dormir mucho

   b.   ir a otro doctor especialista

   c.   ser moderado en los deportes

Formación de la lengua.

I   Verbos como gustar.doler (ue)- parecer - interesar

Doler means *to hurt or to ache.* It is used with the indirect object pronouns. We have already learned a verb like this, the verb gustar. Notice the similarities and how the verbs change for singular and plural. Also, notice that doler is a stem-changing verb**(ue)**.

Me gusta el perfume	*I like the perfume. (The perfume pleases me)*
Me duele la cabeza	*The (My) head hurts me.*
Me gustan los zapatos	*I like the shoes. (The shoes please me.)*
Me duelen los pies	*The (My) feet hurt me.*

- Imagine you have just returned from a day of hiking with some friends.

How would you say... ? **Our feet hurt (us).**   _____

EJERCICIO 1.   ¿Le gusta o no le gusta?

Escriba respuestas cortas a las preguntas. *Write short answers to the questions.*

a) ¿Le gusta estar sano/a?

b) ¿Le gusta tomar vitaminas?

c) ¿No le gusta el café frío?

d) ¿Le gustan los inviernos severos?

EJERCICIO 2.   ¿Qué le duele a Ud.?

Llene los espacios con duele o duelen y la parte apropiada del cuerpo o de la cara.

1. Después de *(After)* leer muchos libros, me   **duelen los ojos**

2. Después de caminar en las montañas, me   _____

3. Después de correr rápidamente,   _____

4. Cuando tengo un resfrío *(a cold)*,   _____

5. Cuando escucho la música rock en alto volumen, me   _____

6. Cuando como platos mexicanos muy picantes, me   _____

7. Si *(if)* toco el piano mucho, me   _____

8. Si trabajo mucho en el jardín, me   _____

9. Cuando tengo hambre   _____

EJERCICIO 3. ¿Qué verbo?

Lea las frases. Use los verbos gustar o doler con las formas de yo.

Ejemplo. Las playas   Me gustan las playas.

El chocolate frío   _____

El brazo derecho   _____

Los hombros   _____

La fruta tropical   _____

Los deportes   _____

La oreja derecha   _____

> **Other verbs like gustar and doler.**
>
> interesar   *to interest*
>
> parecer   *to seem*
>
> importar   *to mind*

Ejemplos.

Me interesan los ejercicios de yoga   *Yoga exercises interest me.*

Le parece un sistema bueno.   *It seems a good system to her (him, you formal).*

¿Te gusta la vida al aire libre?   *Do you like the outdoor life?*

The idiom ¿Qué le (te) parece? is commonly used to ask someone's opinion about something.

_ Doctora Hernández, ¿qué le parece el nuevo hospital?

   _ Doctor Hernández, what do you think of the new hospital?

_ Paco, ¿qué te parece nuestro equipo de hockey?

   _ Paco, what's your opinion of our hockey team?

EJERCICIO 1. ¿Interesa, duele o parece?

Llene los espacios en blanco. Traduzca *(Translate)* las frases al inglés.

1. ¿Le _____ a Ud. la salud del mundo?
   (interesar)

2. ¿Qué les _____ el sistema de salud?
   (parecer)

3. Nos _____ la salud de los niños.
   (interesar)

4. ¿Te _____ la cabeza a menudo?
   (doler)

5. Nos _____ que estás enfermo.
   (parecer)

6. ¿Les _____ los temas científicos?
   (interesar)

7. Me _____ mucho el problema del SIDA *(AIDS)*.
   (importar)

8. ¿Qué le _____ a Ud.?
   (importar)

9. ¿Qué países te _____ conocer?
   (interesar)

10. ¿Les _____ la espalda a veces?
    (doler)

EJERCICIO 2. Obseve y haga comentarios.

Observe el dibujo y comente. Use los verbos **parecer, doler, interesar, importar, gustar.**

Ejemplos. Me parece que el bebé llora porque **tiene dolor** de estómago.

La madre está preocupada porque **le importa** mucho la salud de su hija.

_____

_____

_____

_____

_____

_____

_____

ll Tres dimensiones en español.   *Here, there, over there.*

In English, people talk about here (close to me) and there (away from me). In Spanish, people talk about **aquí** *(close to me)*, **ahí** *(close to you, the person spoken to)*, and **allí** *(far away from both)*. In English, the division is in two dimmensions and in Spanish, it is in three dimmensions.

allí

there, far from everybody

allá

ahí

there, near you

Hay una farmacia en el pueblo; vamos **allí**.
There's a drugstore in the town; let's go there.

aquí

here, close to both.

acá

Pablo, tu medicamento está **ahí,** en el sofá.
Paul, your medicine is there on the sofa. (near to where he is sitting)

Las píldoras están **aquí.**   *The pills are here..*

There is a difference between ahí and allí, but both mean there.

Can you explain the difference?   _____

EJERCICIO. Aquí, ahí y allí.
Escriba la palabra correcta en cada espacio en blanco.

1. _____ en Canadá, mucha gente sufre de la gripe en el invierno.

2. _____ en los países tropicales, la gripe no es muy común.

3. (Hablando por teléfono con un amigo en Bogotá)

    Alfonso, ¿hay muchos casos de gripe _____ ?

III Tres dimensiones.   *This and that*

In English, we speak of ***this*** *(close to us)* and ***that*** *(away from us)*. In Spanish, we speak of **este** *(close to us)*, **ese** *(close to you - the person spoken to)*, and **aquel** *(away from both)*. Of course, these words must also agree (singular or plural, masculine or feminine) with the person or thing they refer to.

Ejemplo.

Este medicamento no es bueno, pero **esas** píldoras son maravillosas.

> *This medicine isn't good, but these pills are marvellous.*

Estos árboles parecen fuertes, pero **aquellos** árboles tienen problemas.

> *These trees seem strong, but those have problems.*

Las formas de este, ese y aquel ≈

singular		plural	
este , esta	*this*	**estos, estas**	*these*
ese, esa	*that*	**esos, esas**	*those*
aquel, aquella	*that*	**aquellos/as**	*those*

Nota importante.

Esto, eso y aquello are *neuter forms* that are used only to refer to ideas or situations.

Eso me interesa mucho.   *That (what you have told me) interests me a lot.*

Esto me parece imposible. *This seems imposible to me.*

EJERCICIO. Marque el demostrativo correcto.

Llene los espacios en blanco con la forma correcta en español de *this, that, these, or those.*

Ejemplo.   Me parece que (<u>aquellos</u>, esas, estos) países de Asia son muy sanos.

1. Me gustan (estas, esas, aquellas) flores aquí en nuestro jardín.
2. (Esta, esa, aquella) casa donde tú vives no es vieja.
3. ¿Puedo usar (este,ese,aquel) termómetro que tienes en la mano?
4. (Este, ese, aquel) ojo me duele mucho, el otro no.
5. ¿Recuerdan Uds. a (estos, esos, aquellos) enfermeros de la telenovela?
6. No quiero ver a (este,ese,aquel) médico de la clínica. Su oficina está muy lejos.
7. Todo el mundo habla de las elecciones. No deseo escuchar más de (esto, eso, aquello).
8. Estas frutas son más sanas que (ésa, éstas, ésas) que tienes en la mano.

≈ *The pronouns éste, ése, aquél tienen tilde.*

  Ejemplo. Esa medicina es buena, pero **ésta** es mejor.

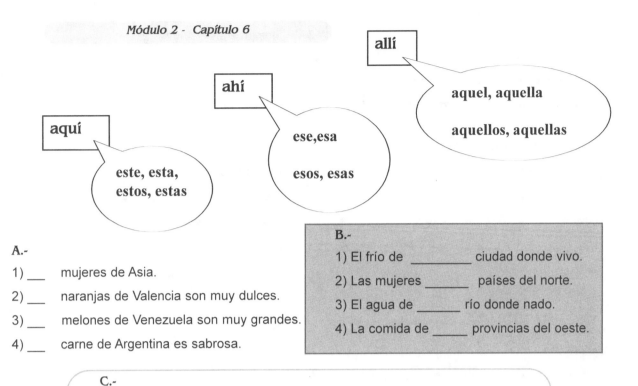

allí

aquel, aquella

aquellos, aquellas

ahí

ese, esa

esos, esas

aquí

este, esta,
estos, estas

A.-

1) ___ mujeres de Asia.

2) ___ naranjas de Valencia son muy dulces.

3) ___ melones de Venezuela son muy grandes.

4) ___ carne de Argentina es sabrosa.

B.-

1) El frío de _____ ciudad donde vivo.

2) Las mujeres _____ países del norte.

3) El agua de _____ río donde nado.

4) La comida de _____ provincias del oeste.

C.-

1) ___ anteojos están en tu bolsa.   2) ___ mermelada que está a tu derecha.

3) ___ niños que viven en tu casa.   4) ___ hermanas que viven en tu casa.

Vamos a practicar.

Lectura.   María Lozano escribe.

De *(From)*	María Paz Lozano Jiménez <018469800@telia>
A *(To)*	Clase de español <español@telusplanet.red>
Asunto *(Subject)*	Hola de nuevo
Fecha *(Date)*	Miércoles, 4 de diciembre de 2001- 2:48 PM

¡Hola! ¿Cómo están Uds.? Escribo un mensaje especial para Uds. en el correo electrónico. Hoy no me siento muy bien. Tengo dolor de cabeza y me duelen los ojos. Puede ser este trabajo con la computadora. Quizás *(perhaps)* un resfrío.   No lo sé. Voy a llamar a mi doctor para hacer una cita. ¿Creen Uds. que es una buena idea visitar a mi doctor?

En realidad, es difícil cuidar nuestra salud. Estamos siempre muy ocupados y no nos importa mucho nuestra condición física. Esto es un error. Tenemos que pensar en nuestro cuerpo, sus dolores y medicinas. Opino que los jóvenes tienen más cuidado con su salud física. Ellos piensan en una comida sana, ejercicios y tranquilidad mental. Además saben que es conveniente visitar al doctor por lo menos una vez al año. Creo que es el momento de mi visita. Chao.

Marque una respuesta correcta.

1. Hoy, María Lozano...

   ___ está bien de salud

   ___ tiene dolor de cabeza y de ojos

   ___ está enferma, con dolor de espalda y fiebre

2. Es difícil cuidar nuestra salud porque

   ___ no hay muchos doctores.

   ___ estamos muy ocupados.

   ___ trabajamos con computadoras.

3. Los jóvenes de hoy

   ___ no cuidan su salud

   ___ comen mucho

   ___ piensan en la tranquilidad mental

4. María piensa que

   ___ trabajamos mucho

   ___ el correo electrónico es malo

   ___ los jóvenes no estudian

Mi diario personal.

Mi estado físico y espiritual.

1) Escriba la fecha y una descripción del tiempo. ¿Hay nieve? ¿Hay sol? ¿Hace frío o calor?

2) Describa su condición física. ¿Cómo está Ud. hoy? ¿Tiene resfrío o gripe? ¿Le duele la cabeza o el estómago? ¿Tiene Ud. hábitos buenos o malos para su salud? ¿Qué hace para mantener su buena salud?

3) También es importante su condición mental y emocional. ¿Está Ud. contento/a? ¿Está deprimido/a? ¿Qué hace Ud.hoy? ¿Qué pasa en su vida?

Repaso Módulo dos.

I Completar las frases. Use the correct forms.

1) Los granjeros _____ camiones y tractores.   manejar

2) La familia _____ en el auto todos los domingos.   pasear

3) Roberto y yo _____ televisión por la noche.   mirar

4) ¿Dónde _____ Ud? ¿En el campo o en la ciudad?   vivir

5) ¿Quiénes _____ en los parques?   correr

6) Esta noche (yo) _____ una novela interesante.   leer

7) ¿Desea _____ pescado o pollo con la ensalada?   comer

8) ¿Qué le _____ ? ¿La cabeza o el estómago?   doler

9) Juan, ¿te _____ los tomates rojos?   gustar

10) ¿Cuándo _____ (tú) ir de vacaciones?   pensar   **20 ptos**

II Elecciones. Choose the correct word.

1. Me gustan _____ frutas de España.   **estas / aquellas**

2. Cuando _____ frío la genta no sale   **hace / hay**

3. Lucía, ¿ _____ las manos cuando escribes?   **duele / duelen**

4. Si _____ sueño, vamos a dormir   **ser / tenemos**

5. En el restaurante, _____ la comida   **pido / salgo**

6. ¿Van ____ practicar español?   **de / a**

7. En el quiosco venden _____   **revistas / vacas**

8. ¿Qué _____ Ud. los domingos?   **vuelve / hace**

9. A nosotros, _____ gustan los chocolates.   **nuestros / nos**   **20 ptos**

III ¿Qué es ? Write the word for the following texts.

1.-   lugar especial para ir a comer.   _____

2.-   edificio para atender a los enfermos.   _____

3.-   una persona que trabaja en el campo.   _____

4.-   un elemento del clima que vemos y es líquido.   _____

5.-   un cubierto que usamos para la sopa.   _____

6.-   una verdura verde, buena para ensaladas.   _____

7.-   son blancas o grises y están en el cielo.   _____

8.-   una parte de la cara que sirve para los olores.   _____

9.-   la primera comida del día y la comemos en la mañana. _____

10.- una actividad que permite aprender   _____   **10 ptos.**

IV Dictate. Listen to your instructor/a and write.

_____

_____

_____

_____

_____

_____

_____

_____   **20 ptos.**

V ¿Qué opina Ud.? Write 8-10 lines about a subject you like.

　　　　Sugestions:　　Restaurantes en mi ciudad.

　　　　　　　　　　　　Mi salud física y mental.

　　　　　　　　　　　　La salud del planeta.

　　　　　　　　　　　　La vida natural o urbana.

　　　　　　　　　　　　Mi lugar favorito.

_____

_____

_____

_____

_____

_____

_____

_____

_____   **30 pts.**

Total　　_____   **100 puntos.**

Módulo tres

University of Alberta - Faculty of Extension

Secciones

Contenido

página

Capítulo siete 189
Vocabulario activo El dinero y sus usos 190
Formación de la lengua Participios 198
Un pasado especial 199
Adverbios 202

Capítulo ocho 207
Vocabulario activo Acciones y reflexivos 208
Formación de la lengua Verbos reflexivos 213
Pronombres reflexivos con infinitivos 217

Capítulo nueve 223
Notas culturales Las artes 224
Don Quijote de la Mancha 225
Notas gramaticales I Pretérito 226
II Irregularidades en el pretérito 230
III Pronombres directos 234

Capítulo diez 239
Notas culturales Cultura y negocios 240
Cómo negociar con los chilenos 242
Notas gramaticales I Imperfecto del indicativo 244
II Tres verbos irregulares en el imperfecto 247
III Los pronombres indirectos 251
When to use preterite and when to use imperfect 252

Capítulo siete

Los negocios

Business

Lista de temas

página

Vocabulario activo

El dinero y sus usos **190**

Vamos a escuchar

Transacciones comerciales. Lectura **192**

En un banco en Caracas **195**

Formación de la lengua

I.   Los participios **198**

II. Un pasado especial. El tiempo perfecto **199**

III. Los adverbios **202**

Vamos a practicar

Danielito y su perro Lobo **203**

Lectura. Un regreso nostálgico **204**

Mi diario personal. Una experiencia **206**

Vocabulario activo.

El dinero y sus usos

Acciones

bajar	lower, *to go down in value*
bromear	*to joke or fool around*
cambiar	*to change or exchange*
contar (ue) chistes	*to tell jokes*
costar (ue)	*to cost*
decir (i)	*to say, to tell* (yo *form-* **digo)**
defender (ie)	*to defend*
economizar	*to economize*
ganar	*to earn, to win*
gastar	*to spend*
invertir (ie)	*to invest*
negociar	*to negotiate*
ofrecer	*to offer* (yo *form-* **ofrezco)**
perder (ie)	*to lose*
regatear	to bargain
subir	*to go up*

Cosas

artesanía, la	*crafts, handwork*
bolsa, la	*bag, purse*
cesto, el	*basket*
companía, empresa, la	*the company*
negocios, los	*business*
recursos naturales, los	*natural resources*

La compra y venta — *buying and*

bolsa de valores, la	*stock market*
cheques de viajero, los	*travelers cheques*
dinero en efectivo	*cash*
dinero, el	*money*
inversión, la	*investment*
tarjeta de crédito, la	*credit card*

Comentario

En el mundo de los negocios, **la bolsa** es *stock exchange* y **tasa de cambio** es *rate of exchange*

Personas

cliente, el/ la	*customer*
colega, el/la	*colleague*
comerciante, el/la	*businessperson*
jefe, el / jefa, la	*boss*

Cualidades

astuto/a	*clever*
barato/a	*cheap*
caro/a	*expensive*
hecho/a a mano	*handmade*

Expresiones útiles

¿Cuánto cuesta(n)?	*How much does it (do they) cost?*
¿Podría Ud. bajar el precio?	*¿Could you lower the price?*
Estoy de acuerdo.	*I agree.*
Hacer una rebaja.	*To lower the price (to bring down the price).*
No hacer compras.	*Don't go shopping.*
Pasar un buen rato.	*To have a nice stay or time.*
Tener confianza en (alguien).	*To trust someone.*
Tirar, echar flores.	*To compliment somebody.*

EJERCICIO 1. Antónimos

1. subir _____   **2.** estar muy serio/a _____

3. perder _____   **4.** un subordinado _____

5. economizar _____   **6.** caro _____

7. la venta _____   **8.** hecho a máquina _____

EJERCICIO 2. ¿Qué dice Ud.?

¿Qué expresión usa Ud. en las siguientes situaciones?

Ejemplo. para comentar de una fiesta >> **Pasamos un buen rato.**

1.   para saber el precio de unos zapatos _____

2.   para saber cuántos pesos mexicanos hay en un dólar canadiense _____

3.   para expresar que Ud. tiene una opinión diferente _____

4.   para regatear cuando un cesto parece muy caro _____

5.   para pagar cuando Ud. no trae dinero en efectivo _____

EJERCICIO 3. Conversaciones.

1. ¿Le gustan a Ud. los negocios? ¿Por qué sí o no?

2. ¿Hace Ud. compras a menudo (frecuentemente)?

¿Dónde y cuándo compra Ud.?

3. ¿Qué recursos naturales tenemos en Canadá?

4. ¿Ganamos mucho ahora con la exportación de estos recursos?

5. ¿Invierte Ud. su dinero? ¿Qué inversiones son buenas ahora?

¿Qué inversiones son malas?

6. ¿Le gustan los chistes? ¿Cuenta Ud. muchos chistes?

Vamos a escuchar

Las transacciones comerciales.

En español hay un refrán que dice **«Poderoso caballero, es don dinero».**

Y es cierto. El dinero es una fuerza importante en el mundo. Todos los días y en todas partes hay negocios. Vamos a leer sobre negocios de diferentes tipos.

A . Un juego de niños. La actividad comercial comienza temprano.

René -	Mira, Angelina, te cambio mis cartas por tus dulces.
Angelina -	No sé. Me gustan mis dulces. No sé jugar a las cartas. Pero me gusta mucho tu libro "Cenicienta". *(Cinderella).*
René -	De acuerdo. Te doy mi libro por todos los dulces.
Angelina -	¿Por qué todos? ¡No, señor! Quizás por tres… o por cuatro…

B. Regatear. La gente regatea con frecuencia en los mercados

Cliente - Buenos días. No quiero comprar fruta ahora,
pero me interesan las sandalias.

Vendedor - ¡Cómo no, señora! Tenemos todos los números.

Cliente - Necesito un número pequeño. Son para mi hija.

Vendedor - Le vendo estas sandalias preciosas por quince dólares.

Cliente - ¡Quince dólares! Me parece mucho. Puedo ofrecer ocho.

Vendedor - Señora, estas sandalias están hechas a mano.
Son de un cuero muy fino. Ocho dólares es muy barato .
Para Ud., puedo bajar el precio a 12 dólares.

Cliente - Es verdad que las sandalias son lindas. Diez dólares, entonces ¿de acuerdo?

Vendedor - Bueno, de acuerdo. Pero solamente para Ud.
¡Yo tengo que vivir y mantener a mi familia! Ud. regatea muy bien, señora.

Cliente - Ay, ¡cuántas flores me echa Ud.!

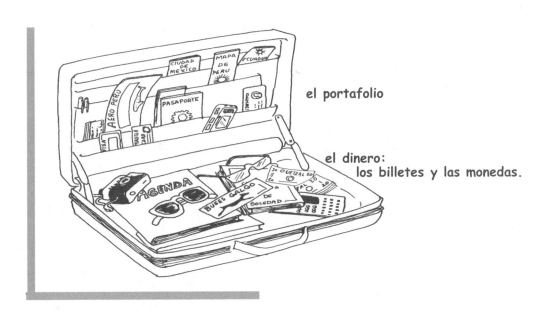

el portafolio

el dinero:
los billetes y las monedas.

C. Los negocios transnacionales.

En un café de Monterrey, una mexicana, un canadiense, y una mujer de EEUU conversan sobre las industrias, las corporaciones y la compra y venta de los recursos naturales.

Una mexicana El petróleo es el oro negro en los negocios del mundo... y es nuestro negocio. Claro, Estados Unidos, y Canadá también tienen mucho petróleo. También tenemos en México importantes industrias de zapatos y conservas...

Una estadounidense Nuestra compañía multinacional es la más grande de Latinoamérica y una empresa con 50 años de servicio en todas las grandes capitales del mundo. También vendemos nuestros productos de jabón y deter-gente en Canadá. Claro, tú tienes razón cuando hablas de los zapatos mexicanos como un producto excelente. Creo que hay mercado para zapatos mexicanos en Estados Unidos ...

Un canadiense Y también en Canadá. Los zapatos hechos en México tienen un estilo elegante. Naturalmente, Uds. necesitan hacer números más grandes.

Una mexicana Por supuesto. ¡Uds. los gringos son tan grandes!

Un canadiense Pero tenemos que pensar en intercambio. Si México exporta zapatos a Canadá, México tiene que importar algunos productos canadienses.

Una estadounidense ¿Productos naturales como la madera o minerales?

Un canadiense No solamente eso. No sé exactamente... Quizás productos técnicos o medicamentos... o servicios como instalaciones telefónicas...

EJERCICIO.   Completar la descripción.

Complete Ud. la descripción de la lectura «Transacciones comerciales» con palabras apropiadas.

1. En «el juego», el niño quiere _____ sus cartas por los _____ de la niña. La niña se llama _____. A ella le gusta un _____ que tiene el niño.

2. En el mercado de artesanías, el vendedor ofrece _____ y sandalias. A la cliente le interesan _____ pequeñas porque son para su _____

3. Primero, el vendedor pide un precio de _____ pero la cliente ofrece _____ Finalmente, la cliente compra las sandalias por _____ El vendedor dice que ella _____ muy bien.

4. En un _____ de Monterrey, conversan _____ personas: una mexicana, un canadiense y una mujer de Estados Unidos. La mexicana dice que el petróleo es el _____ en los _____ del mundo. La mujer de Estados Unidos habla de su _____ y dice que ela más _____ del continente. El canadiense opina que los _____ hechos en México tienen un buen estilo pero necesitan _____ más grandes. La mujer de los Estados Unidos pregunta sobre los productos naturales de Canadá como la _____ o los _____ .

En un banco en Caracas.

Escuche el disco dos o tres veces. Luego, escoja las frases correctas para completar las ideas.

1. El cliente entra en el banco porque necesita

      a. dinero canadiense

      b. dinero venezolano

      c. cheques de viajero

2. El cliente pregunta por

a. la tasa de cambio

b. la lista de servicios

c. el gerente del banco

3. La dependiente dice que en Venezuela es posible usar

      a. el dinero canadiense

      b. los cheques personales

      c. algunas tarjetas de crédito

4. El cliente cree que va a

a. tener problemas

b. pasar un buen rato

c. comer hamburguesas

Discusión

Con la clase, o en pequeños grupos de tres personas, discutan dos de los siguientes temas.

1. El dinero plástico. ¿Son buenas o malas las tarjetas de crédito?
¿Cree Ud. que una persona con tarjeta de crédito gasta demasiado *(too much)*?

2.«La economía escondida» *The hidden or underground economy*

¿Hay una «economía escondida» en Canadá? Si existe, ¿es grande o pequeña?
¿Qué hace la gente para no pagar impuestos *(taxes)*?
¿Es buena o mala esta práctica?

3. La costumbre de regatear. ¿Sabe Ud. regatear? ¿Le gusta hacerlo?
¿Es posible regatear en Canadá por algunos productos? ¿Dónde y cuándo?
¿En la compra y venta de casas, de autos, o de aparatos?

Contar (ue) es:

Contar chistes   *to count, to tell jokes, stories.*
Contar dinero   *to count money*
Contar monedas   *to count coins*

Numbers 100 - 200... un millón... diez millones... cien millones... un billón...

ciento noventa y uno....	191		
ciento noventa y nueve	199		
doscientos	200	doscientos diez	210
trescientos	300	trescientos treinta y dos	332
cuatrocientos	400	cuatrocientos ochenta	480
quinientos	500	quinientos sesenta y uno	561
seiscientos	600	seiscientos setenta y tres	673
setecientos	700	setecientos cuarenta y cinco	745
ochocientos	800	ochocientos cincuenta	850
novecientos	900	novecientos noventa y nueve	999
mil	1.000	mil treinta y tres	1.033

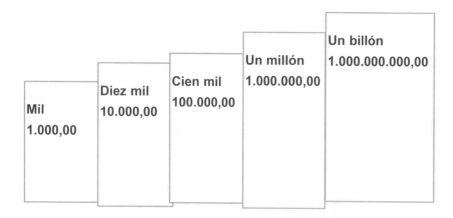

Mil
1.000,00

Diez mil
10.000,00

Cien mil
100.000,00

Un millón
1.000.000,00

Un billón
1.000.000.000,00

EJERCICIO: Escriba los siguientes números.

389   _____   177   _____

550   _____   421   _____

270   _____   910   _____

760   _____   670   _____

819   _____   1.540 _____

5.786.434,50   _____

1) The masculine forms of the numbers 200 - 900 are used before the masculine nouns, and the feminine forms are used with the feminine nouns.

400 pesos   cuatroci**entos** pesos   - 400 pesetas cuatroci**entas** pesetas

2) When writing numbers in Spanish, use the decimal point where English uses a coma and vice versa.

Spanish	**English**
125.000,00 millones	125,000.00 millions
5,9 grados	5.9 degrees

EJERCICIO. Leer los siguientes precios del mercado de Málaga.

Papas   5.340,00 pesetas

Cebollas   7.800,50 pesetas

Naranjas   3.500,67 pesetas

Aceitunas 40.000 pesetas

aceitunas

Aceite de oliva   20.500,87 pesetas

Turrón de almendras   49.675,90 pesetas

Formación de la lengua

I Participios.

In English, the usual past participle ends in **ed** as *loved, lived..*
There are also irregular forms, such as *done, written.*
Spanish has both also; regular and irregular forms in the past participle.

The regular past participle is formed by:

  a) dropping **ar , er , ir** from the infinitive form.

  b) adding **ado** for **ar** ending and **ido** for **er ,ir** endings.

Ejemplos.

cerrar *(to close)*	a) droping ar,	**cerr __**
	b) adding ado,	**cerrado**
leer *(to read)*	a) dropping er,	**le__**
	b) adding ido,	**leído**
vivir *(to live)*	a) dropping ir,	**viv __**
	b) adding ido,	**vivido**

> ar   » ado
>
> er/ir   » ido

Past participles are used sometimes as adjectives. For example.

___   el dinero invertido en México   *the money invested in México*

___   todas las puertas cerradas   *all the doors closed*

EJERCICIO 1. Los participios regulares
Forme los participios de los siguientes verbos.
Ejemplo. contar > contado.

1. ganar _____	**2.** perder _____	**3.** establecer _____
4. cambiar _____	**5.** invertir _____	**6.** gastar _____
7. preferir _____	**8.** pagar _____	**9.** conocer _____

Entonces, *(Then)* antes de cada participio, use un sustantivo. Forme ideas completas.
Ejemplo: El **dinero ganado** con el trabajo. Un **amigo conocido** en la ciudad.

Now, in Spanish we find irregular forms in past participle (the same as in English).
The only way to remember them is to memorize them!

Algunos participios con forma irregular.

abrir	abierto	escribir	escrito
morir	muerto	poner	puesto
ver	visto	volver	vuelto
decir	dicho	hacer	hecho

EJERCICIO 2. Los participios irregulares.

Lea y aprenda los participios irregulares. Luego, llene los espacios en blanco con
los participios apropiados.

. una actitud de «puertas **abiertas**» **(abrir)**

. el hombre _____ en la calle. **(morir)**

. la estudiante _____ desde su clase. **(volver)**

. las palabras _____ sin sinceridad **(decir)**

. las cartas _____ con mucha prisa **(escribir)**

. un viejo amigo _____ después de años. **(ver)**

. los favores _____ en secreto. **(hacer)**

. el trabajo _____ a su disposición. **(poner)**

II Un pasado especial. El tiempo perfecto

Spanish has two different past tenses, the pretérito   and the imperfecto.

At this point, we will not learn these tenses, but in order to express actions
that happened in the past, we will learn an easier tense, the perfecto.
This is very similar to the Present Perfect in English:

I have paid.	**(Yo) he pagado.**
Juan has earned money	**Juan ha ganado dinero.**

Notice this is a compound tense in English,
made up of an auxiliary and the past participle.
It is exactly the same in Spanish.

> **verbo haber + participio**

You have to use the correct form of the verb **haber** *and the past
participle (always in the masculine singular form).
However only the verb* **haber** *is used for this tense. the
verb* **tener** *(which means to have in the sense of the
possess) is never used.The forms of the verb* **haber**
are the following.

he	hemos
has	habéis (+ participio)
ha	han

Observe the next chart.

Participios

yo	he	amado	*have loved*
		creído	*I have believed*
		vivido	*I have lived*
tú	has	amado	*you have loved*
		creído	*you have believed*
		vivido	*you have lived*
él		amado	*he has loved*
ella, ha		creído	*she has believed*
Ud.		vivido	*you have lived*
nosotros-as		amado	*we have loved*
	hemos	creído	*we have believed*
		vivido	*we have lived*
vosotros-as		amado	*you (all) have loved*
	habéis	creído	*you (all) have believed*
		vivido	*you (all) have lived*
ellos		amado	*they have loved*
ellas han		creído	*they have believed*
Uds.		vivido	*you (all) have lived*

¡Hemos aprendido un tiempo pasado!

EJERCICIO 1. Hablamos en pasado

Complete las frases con las formas correctas.

1. EL negocio _____ _____ **(perder)** clientes.

2. El cliente _____ _____ **(visitar)** la oficina.

3. El mercado _____ _____ **(vender)** toda la fruta.

4. Las ganancias _____ _____ **(subir)** este mes.

5. El petróleo _____ _____ **(ganar)** mucho dinero.

6. Usted _____ _____ **(preguntar)** el precio.

7. Tú _____ _____ **(gastar)** sesenta pesos

EJERCICIO 2.   Conversación con un(a) compañero(a).

Trabaje con un(a) compañero(a) con
las siguientes preguntas.
Luego habla con la clase sobre lo
que *(what)* Ud. ha aprendido.

1. ¿Qué libro has leído recientemente?
2. ¿Qué películas has visto?
3. ¿Has participado en un negocio interesante?
4. ¿Has ganado dinero?
5. ¿Qué has aprendido últimamente?
6. ¿Cuántas veces has viajado fuera de Canadá?

Ejercicio 3. En la clase.
Evaluación de nuestro "negocio".

1. ¿Cómo **ha resultado** este curso para Ud.?
- ¿entretenido? - ¿aburrido? - ¿interesante?

2. ¿Cómo **ha evaluado** los resultados?
- ¿positivos? - ¿magníficos? - ¿un desastre?

3. ¿Cómo **ha sido** su contribuición personal?
- ¿Cuánto tiempo y dinero **ha invertido** Ud.?
- ¿**Ha trabajado** mucho, poco o <más o menos>?

III Los adverbios.   -ly = -mente

To form an adverb in Spanish, the general rule is to add **-mente** to the feminine singular form of an adjective.

rápido/a	**rápidamente**
fácil	**fácilmente**
elegante	**elegantemente**

EJERCICIO 1: Adjetivos y adverbios

Convierta los adjetivos en adverbios.

1. preciso	_____	6. normal	_____
2. fácil	_____	7. calmado	_____
3. frecuente	_____	8. peligroso	_____
4. democrático	_____	9. inicial	_____
5. misterioso	_____	10. intensivo	_____

EJERCICIO 2: ¿Cómo lo dice Juana ?

Escriba el adverbio apropiado para cada frase de Juana, la habladora.

1. «¡No puedo esperar más!»   dice   _____

2. «Eres el amor de mi vida,» declara   _____

3. «¿Necesitan Uds. ayuda?»   pregunta   _____

4. «Tengo miedo de conocer a la gente,» confiesa _____

5. «Eres ignorante y no trabajas bien,» dice   _____

6. «Tengo un secreto,» afirma   _____

tímidamente
apasionadamente
misteriosamente
impacientemente
severamente
amablemente

Vamos a practicar

Actividad 1.

Danielito y su perro Lobo han pasado un día de aventuras en la ciudad. ¿Qué han hecho?

Observe la ilustración e invente una aventura con un grupo de compañeros/as. Usen todos los verbos en formas de pasado. Compare su historia con los otros grupos.

_____

_____

_____

_____

_____

_____

_____

ACTIVIDAD 2. Lectura
Regateo en Bogotá.

Lea la historia y conteste las preguntas.

Ignacio y su esposa Catalina han vivido por algunos años en Canadá, pero siempre han pensado volver de vacaciones a su antiguo país, Colombia. Durante este invierno han decidido ir de vacaciones a Bogotá.

Ahora están en aquella ciudad y las impresiones que han tenido son variadas. Una observación que han hecho es la diferencia en las compras y las ventas. Primero la novedad de los mercados, donde la gente compra y vende todo tipo de artículos: artesanías, ropas, comidas, animales, zapatos, pollos, quesos, etc.

Aquí en Colombia tienen que "regatear", una costumbre casi olvidada en Canadá. Nadie paga el primer precio establecido. Todos saben que tienen que regatear para obtener un precio rebajado. Es el placer de comprar en los mercados latinoamericanos.

Mientras Ignacio y Catalina han regateado, han conversado de muchas otras cosas con el vendedor. Él ha contado algunos chistes sobre la política del país. Después, han ido a un lugar diferente a conversar con otro vendedor o vendedora. El tiempo ha pasado muy rápidamente, pero ha sido agradable caminar entre tantos artículos, olores y personas.

Ellos han vivido allá una nostálgica experiencia. Ahora desean volver a su casa, aquí en Canadá, con los recuerdos del mercado, de la familia, los amigos……

Conversación.

1. ¿Dónde han vivido Ignacio y Catalina?

2. ¿Qué han recordado siempre?

3. ¿Adónde han decidido ir este invierno?

4. ¿Qué han visitado en Bogotá?

5. ¿Qué es regatear?

6. ¿Qué pasa mientras *(while)* ellos regatean?

7. ¿Cree Ud. que el regateo es una excusa para conversar?

8. ¿Ha tenido Ud. experiencias con el regateo?

9. ¿Han regresado Ignacio y Catalina a Canadá?

10. Finalmente, ¿ha tenido Ud. experiencias en mercados? ¿Dónde?

Mi diario personal.

Una experiencia

Escribir en su diario sobre las experiencias que Ud. ha tenido durante la semana. Use verbos diferentes en el tiempo perfecto. Use what you have learned in class.

Do not try to translate directly into complex sentences. Use dictionaries selectively.

Ejemplo

El domingo pasado, mi amigo/a y yo **hemos asistido** al teatro. **Hemos visto** la obra musical "Los gatos" . **Me ha gustado** mucho la música, pero mi amiga/o **ha preferido** la escenografía...

Capítulo ocho

Viaje de sueños

Dream Trip

Lista de temas

		página
Vocabulario activo		
	Acciones y reflexivos	208
Vamos a escuchar		
	Conversación 1. ¡Vamos a la playa!	211
	Conversación 2. En el hotel.	212
Formación de la lengua		
I	Los pronombres reflexivos	213
II	Los verbos reflexivos	214
III	Los pronombres reflexivos con infinitivo	217
IV	Tener que y **hay que + infinitivo**	219
Vamos a practicar		
	Una ilustración	220
	Lectura. El viaje ideal	221
	Mi diario personal	222

Vocabulario activo

Todos tenemos en la imaginación la idea de un viaje perfecto.
Algún día pensamos hacer este viaje ideal. Aquí está un vocabulario
sobre los viajes. Ud. puede usar este vocabulario para hablar del viaje
de sus sueños (*the trip of your dreams*).

Acciones

comprar los boletos (billetes)	to buy tickets
hacer reservaciones	to make reservations
hacer un viaje	to take a trip
preparar las maletas	to pack
soñar (ue) con	to dream of, to hope for
tener un sueño	to have a dream
viajar (por avión, por tren, por tierra, por mar)	to travel (by plain, by train, by land, by sea)

Verbos reflexivos

acostarse (ue)	*to go to bed*
bañarse	*to bathe*
despertarse (ie)	*to wake up*
divertirse (ie)	*to enjoy oneself*
dormirse (ue)	*to fall asleep*
lavarse	*to wash up (wash oneself)*
levantarse	*to get up*
ponerse (la ropa)	*to put on (clothing)*
sentarse (ie)	*to sit down*

En el hotel

recepcionista, el, la	
botones, el, la	*bellhop*
gerente, el, la	*manager*
personal, el	*staff*

Ubicación

a la derecha	*to the right*
a la izquierda	*to the left*
derecho	*straight ahead*
doblar	*to turn*

Cosas

ascensor, el	*elevator*
baño privado, el	*private bathroom*
cama doble	*doble bed*
champú, el	*shampoo*
cuarto doble, el	*doble room*
escalera, la	*stairs*
jabón, el	*soap*
llave, la	*keys*
pasta de dientes, la	*tooth paste*
piso, el	*floor*
toallas, las	*towels*

la mochila

La ropa

abrigo, el	*coat*
blusa, la	*blouse*
botas, las	*boots*
calcetines, los	*socks*
camisa, la	*shirt*
camiseta, la	*T shirt*
chaqueta, la	*jacket*
falda, la	*skirt*
gorra, la	*cap*
guantes, los	*gloves*
pantalones, los	*pants*
sombrero, el	*hat*
traje de baño, el	*swimming suit*
ropa gruesa, la (para el invierno)	*warm clothes*
ropa liviana, la (para el verano)	*light clothes*

el pasaporte

la cámara
fotográfica

el portafolio, el maletín

la maleta, el equipaje

los lentes de sol

EJERCICIO. ¿Qué necesitamos?

Conteste las preguntas, usando vocabulario de las listas.

Modelo. ¿Qué necesitamos cuando hace mucho frío?

- Necesitamos un abrigo (ropa gruesa, una chaqueta).

1. cuando hace mucho calor _____
2. para caminar cuando hay nieve _____
3. para proteger la cara del sol _____
4. para nadar _____
5. para lavarnos los dientes/el pelo/el cuerpo _____
6. cuando queremos subir al piso 3 _____
7. para abrir la puerta _____
8. para usar en la playa _____
9. cuando hay un problema en el hotel _____
10. para llevar la ropa para un viaje _____

EJERCICIO 2. ¿Qué es necesario hacer...?

Conteste las preguntas, usando el vocabulario de las listas.

Modelo. ¿Qué es necesario hacer por la noche?

- Es necesario acostarse.

1. por la mañana   **4.** el día de un cumpleaños

2. cuando uno tiene sueño **5.** después de comer

3. para comer en la mesa   **6.** para salir a la calle

EJERCICIO 3. Preguntas.

1. ¿Ha viajado Ud. en un país latino?
2. ¿Ha viajado en España alguna vez?
3. ¿Cuál es su idea de un viaje perfecto?
4. ¿Qué medio de transporte prefiere Ud.? ¿Por qué?
5. ¿Cuándo prepara Ud. las maletas para los viajes?
6. ¿Qué pone en la maleta para un viaje típico?

Vamos a escuchar

Conversación 1. ¡Vamos a la playa!

Escuche la siguiente conversación sobre dos matrimonios que están de vacaciones en México. Luego, escoja la frase más apropiada para terminar las descripciones.

Felipe	Catalina, ¿dónde estás? Vamos a la playa.
Catalina	Bueno. Ya voy. Antes, me pongo esta blusa, porque hay sol y hace mucho calor. Quiero broncearme, pero no quiero quemaduras.
	Tenemos que tener cuidado porque estamos muy pálidos ....
Marta	Claro, muchos meses de trabajo en Canadá... y con el invierno largo...
Lalo	El gerente del hotel dice que no hay peligro aquí en la playa.
Catalina	¡Qué bueno! Siempre me divierto en la playa y realmente quiero nadar.
Marta	Yo voy a tomar sol.
Felipe	Y yo pienso leer mi novela.
Lalo	Bueno, todos tenemos planes, pero ¿sabemos ir a la playa?
	¿Dónde está? ¿Está lejos?
Marta	No, querido, está muy cerca. No es necesario manejar.
Felipe	Está frente al hotel, un poco a la izquierda. O quizás a la derecha... Unas dos o tres cuadras...
Catalina	¿Al norte o al sur?
Felipe	¿Tienen toallas? ¿Los trajes de baño? ¡Vamos!
Todos	¡Vamos a divertirnos!

Preguntas

1. ¿Dónde están los amigos?
2. ¿Dónde viven generalmente?
3. ¿Qué tiempo hace ahora?
4. ¿Qué piensan hacer en la playa?
5. ¿Dónde está la playa?
6. ¿Qué dice el gerente del hotel?

Información de turismo en Internet.

Lea la miniguía con atención y marque la respuesta correcta.

MINIGUIA DE VIAJE

· **Cómo llegar:** desde Buenos Aires a Santiago de Chile (ida y vuelta, s/imp. ni tasas) $ 237, Lan Chile, y de ahí tomar un vuelo a Calama que dura dos horas y media.

· **Dónde alojarse:** Hotel Explora, construido en el Ayllú de Larache, en San Pedro de Atacama. El paquete por 7 noches con pensión completa (incluye vinos, tragos y bebidas), traslados terrestres, excursiones, piscina, sauna y masajes, ronda los $2.441 en base doble. Tel.: (00562)206-6060 o a *reserexplora@explora.com.*

1. **San Pedro de Atacama está en**
   _ Argentina
   _ Chile

2. **El viaje incluye**
   _ una semana
   _ 5 días

3. **La ruta del viaje es**
   _ Santiago ida y vuelta
   _ Buenos Aires, Santiago y Calama ida y vuelta

4. **Los viajeros se hospedan en**
   _ Hotel Lan Chile en Buenos Aires
   _ Hotel Explora en San Pedro de Atacama

Formación de la lengua.

I Pronombres Reflexivos

Reflexive pronouns are used with reflexive verbs to indicate that the action of the verb reflects back upon the person.

person	reflexive pronoun	
yo	me	myself
tú	te	yourself
él, ella, Ud.	se	himself , herself, yourself (formal)
nosotros-as	nos	ourselves
vosotros-as	os	yourselves
ellos, ellas, Uds,	se	themselves

¿Do you remember the sentence **"me llamo"** or the question "¿ **Cómo se llama Ud?"**. Well, **me** and **se** are reflexive pronouns. They are used with the reflexive verb **llamarse,** which literally means to call oneself. When you ask, ¿**Cómo se llama Ud.?,** you are really asking, how do you call yourself?

What is the answer to that question and a literal translation?

_____

_____

*There are many reflexive verbs in Spanish, and they are indicated with the pronoun **se** at the end of the infinitive. English does not have many reflexive verbs, but there are a few. For example, **to enjoy oneself.** This corresponds in Spanish to the reflexive verb **divertirse.***

Me divierto mucho.   *I'm enjoying myself a lot.*

Look at the list of reflexive pronouns. How would you say the following...?

Juan is enjoying himself.   _____

The children are enjoying themselves.   _____

We are enjoying ourselves.   _____

II Los verbos reflexivos

acostarse (ue)	*to go to bed*
bañarse	*to bathe (in pool or ocean), to take a bath*
divertirse (ie)	*to enjoy oneself, to have a good time*
lavarse	*to wash oneself*
levantarse	*to get up*
ponerse (la ropa)	*to put on (clothing)*
sentarse (ie)	*to sit down*
reunirse	*to get together, to meet*

There are many reflexive verbs, but let's practice with just some of them. First, try conjugating (saying all the forms) of three of the verbs to see how they work. Try saying the forms first.
Then listen to the CD and repeat.

1. Levantarse a las seis.

I get up at six _____

You get up at six _____

He (She) gets up at six _____

We get up at six _____

They get up at six _____

2. Divertirse (ie) mucho

I enjoy myself a lot _____

You enjoy yourself a lot _____

He (She) enjoys (himself/herself) a lot _____

We enjoy ourselves a lot _____

They enjoy themselves a lot _____

3. Ponerse el abrigo

I put on my coat _____

You put on your coat _____

He (She) puts on (his/her) coat _____

We put on our coats _____

They put on their coats _____

EJERCICIO 2.   Preguntas

Responda en forma completa.

1.- ¿A qué hora se acuestan Uds. todos los días?

2.- ¿Dónde se sienta Ud. en la clase?

3.- ¿Se reúne Ud. con su familia?

4.- ¿Se divierten Uds. en el cine?

5.- ¿ Se baña Ud. en la mañana o en la noche?

6.- ¿Se acuesta su perro en el sofá?

EJERCICIO 3.   Planes para un viaje

Llene Ud. los espacios en blanco con formas correctas de verbos reflexivos.

1. Hoy (yo) _____   _____ (levantarse) para ir a la agencia de viajes

2. Pero, primero (yo) _____ _____ (bañarse)

3. Luego, (yo) _____   _____ (ponerse) una camiseta y unos pantalones jeans.

4. Después, (yo) _____ _____ (sentarse) en la mesa para desayunar y leer el periódico.

5. (Yo) _____ _____ (lavarse) los dientes después del desayuno.

6. Pienso mucho en el viaje porque _____ _____ (divertirse) con los planes para los viajes.

7. Por la noche _____ _____ (acostarse) temprano para soñar con mi viaje.

EJERCICIO 4. Preguntas sobre la rutina diaria

1. ¿Se levanta Ud. temprano o tarde durante la semana?

2. Y los fines de semana, ¿a qué hora se levanta?

3. ¿Se baña Ud. a menudo *(often)* en el océano?

4. ¿Qué ropa especial se pone Ud. en el invierno?

5. ¿Qué ropa se pone Ud. en los países tropicales?

6. ¿Se lava Ud.el pelo todos los días?

7. ¿Cuándo se divierte Ud.?

8. ¿A qué hora se acuesta Ud. generalmente?

9. ¿A qué hora se divierte con sus amigos?

EJERCICIO 5.   Entrevista

Invente cinco preguntas sobre la rutina diaria. Luego, use estas preguntas para hacer una entrevista con un(a) compañero(a).

Ejemplos

1.   ¿Te bañas antes o después del desayuno?

2.   ¿Te acuestas y lees en la cama?

3.   ¿Te diviertes con la televisión?

II   Los pronombres reflexivos con infinitivo.

Look at the two different ways of using reflexives followed by an infinitive. You are saying the same thing; you are not changing the meaning. *Reflexive pronouns can either go immediately in front of the whole verb or at the end of the infinitive.* It's your choice. If you use them after the infinitive, tack it right on to the end.

Ejemplos.

Esta noche voy a divertirme!
¡Esta noche me voy a divertir!

Tonight I'm going to enjoy myself!

¿Ud. va a ponerse las botas?
¿Ud. se va a poner las botas?

Are you going to put on your boots?

Tenemos que levantarnos temprano.
Nos tenemos que levantar temprano.

We have to get up early.

EJERCICIO 1.   Las obligaciones de Carlitos.
Carlitos es un niño con muchas obligaciones.
Invente frases para expresar las siguientes obligaciones.
Use las dos formas
Ejemplo.   Carlitos tiene que levantar**se** temprano.
              Carlitos **se** tiene que levantar temprano.

1.   ponerse los guantes de invierno.
2.   bañarse por la noche.
3.   lavarse las manos.
4.   sentarse a la mesa y escribir tarjetas postales *(postcards)*.
5.   acostarse temprano.
6.   peinarse *(to comb)* todos los días.
7.   cepillarse *(to brush)* los dientes antes de acostarse.
8.   levantarse temprano.
9.   ponerse ropa liviana en verano

EJERCICIO 2.   Ud. tiene obligaciones

Use las mismas frases sobre sus obligaciones de mañana

Ejemplo.   Yo voy a levantarme temprano.

   Yo me voy a levantar temprano.

1.- _____

2.- _____

3.- _____

4.- _____

EJERCICIO 3.   Preguntas

1. ¿Piensa levantarse temprano o tarde mañana? ¿Por qué?

2. ¿Qué le gusta más - bañarse en el océano, en un río, o en un lago?

3. ¿Cómo va a divertirse Ud. este fin de semana?

4. ¿Puede Ud. acostarse tarde los viernes, o no? ¿Por qué?

5. ¿Tiene Ud. que ponerse ropa gruesa esta noche, o no?

Dinámica

Simón dice

____	levantarse	____	mover la cabeza
____	tocarse los pies	____	dormirse
____	mover los hombros	____	tocarse la nariz
____	sacudir las manos	____	levantar el pié izquierdo
____	sentarse	____	pararse *(to stand up)*

IV   <Tener que> y la construcción «hay que» + infinitivo.

Repetimos que **tener que + infinitivo es obligación**

Tenemos que estudiar los verbos en español. **= obligación.**

Observe.

Hay que estudiar mucho para aprender. *One has to study a lot in order to learn.*

Hay que divertirse, porque la vida es breve. *One has to enjoy oneself because life is short.*

Hay que *can be used with an infinitive in order to make general statements about what should or has to be. If you use a reflexive verb, the* **se** *form should be used on the infinitive.*

EJERCICIO. Necesidades.

Conteste las siguientes preguntas sobre los preparativos para un viaje, con una frase con hay que + un infinitivo.

Ejemplo.   _____   ¿Tenemos que preparar las maletas?

                        _____   Sí, hay que preparar las maletas.

1. ¿Tenemos que comprar los boletos?   _____

2. ¿Tenemos que hacer reservaciones para un hotel?   _____

3. ¿Tenemos que salir a la hora?   _____

4. ¿Tenemos que pagar los pasajes?   _____

5. ¿Tenemos que levantarnos temprano? (¡Qué lástima!)   _____

6. ¿Tenemos que acostarnos temprano durante las vacaciones? _____

Vamos a practicar

ACTIVIDAD 1. Conversación. Oberve la ilustración.

1. ¿Están contentos los niños?
2. ¿Se divierte la familia?
¿Por qué sí ? ¿Por qué no?
3. ¿Qué tiene que hacer el esposo?

4. ¿Qué ropa se ponen todos? ¿de invierno o de verano?
5 ¿Qué tiene que hacer la esposa?
6. ¿Cree Ud que la madre va a divertirse?
7. ¿Tienen que tomar el avión o el tren?

El viaje ideal.

Aguas cristalinas, un cielo azul increíble, arenas blancas y finísimas, un clima de encanto... es como flotar en un sueño. La playa, una de las mejores° del mundo, *best* está ahí desde siempre; existen muchos hoteles y las posibilidades de ver y disfrutar son ahora más amplias que nunca. Esa dicha° de saberse en un escenario *joy* mágico. De día, sol y mar; de noche, música y alegría.

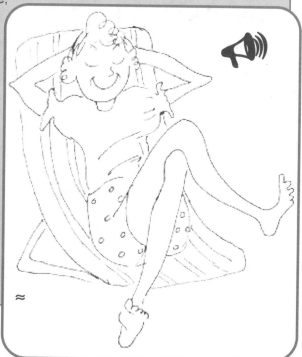

Pero hay más. Paseos en helicópteros, aviones y yates; esquí acuático, excursiones nocturnas. ¿Qué hotel escoger para la estancia, en cuál restaurante cenar? Esta noche ¿ese bar o el otro? Tengo que elegir una discoteca o cabaret para danzar hasta el amanecer al compás de los ritmos caribeños más contagiosos y comenzar una amistad que quizás va a durar un momento o se va a mantener por el resto de mi vida...

"Los sueños, sueños son"...»

≈

Preguntas

1. ¿Qué opina Ud. de las vacaciones en el texto?

2. ¿Cómo son sus vacaciones ideales?

3. Cuando Ud. viaja, ¿qué hace?

4. ¿Cómo se divierte más en sus vacaciones?

5. ¿Se acuesta tarde o temprano durante sus vacaciones?

≈ *'And dreams are (only) dreams'* This is a famous line of one of the classics of Spanish theatre, "La vida es sueño" *by* Calderón de la Barca.

Nazca - Pata de perro

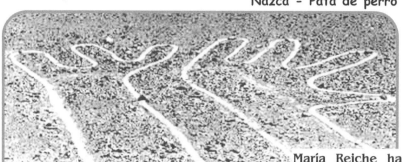

¿Prefiere Ud. unas vacaciones en lugares como Nazca?

Explique a la clase sus preferencias.

María Reiche ha caminado 500 Km2(kilómetros cuadrados) de desierto para encontrar y medir los dibujos, **se ha colgado** de un helicóptero para tomar las primeras fotografías aéreas de cerca, **ha dibujado** sus propios mapas y planos, **ha buscado** fondos privados, **ha expulsado** a vándalos con nada más que su escoba como arma, y poco a poco **ha hecho** que el mundo se percate de los estudios serios y científicos que **ha realizado** sobre las figuras del desierto de Nazca, en Perú. *(Internet)* ≈

Mi diario personal.   Mis viajes pasados y futuros.

Ud. ha terminado una primera y muy importante etapa en español.

Ahora Ud puede expresar muchas ideas en presente, futuro y pasado.

¿Qué viajes ha hecho Ud.? ¿Ha visitado países latinos?

¿Ha viajado en España o en otras partes de Europa?

Escriba Ud. sobre sus viajes pasados y también sobre sus planes para viajar en el futuro.

≈ *María Rieche (1903 - 1980) fue (was) una científica alemana-boliviana que vivió (lived) muchos años en la región de Nazca. Estudió (studied) con interés los dibujos y su relación con el clima y el calendario.*

Capítulo nueve

Artes

Lista de temas

	página
Notas culturales	
Artes	**224**
Don Quijote	**225**
Notas gramaticales	
I Participios	**226**
II Irregularidades en el pretérito	**230**
III Lo, la, los, las: los pronombres directos	**234**
Una historia famosa.	**236**

Vocabulario activo.

Artes

Acciones

actuar	*to perform*
limpiar	*to clean*
nacer	*to be born*
oír	*to hear*
pasar	*to spend time, pass*
pertenecer	*to belong*
pintar	*to paint*
quitar	*to remove, to get rid of*
sacar	*to take out*
suicidarse	*to commit suicide*

Personas y cosas

aplausos, los	*applauses*
isla, la	*island*
lienzo, el	*canvas*
mellizo/a, el, la	*twin*
nacimiento, el	*birth*
obra, la	*art*
paisaje, el	*landscape*

Cualidades

mayor	*older, oldest*
menor	*younger, youngest*

EJERCICIO. Escriba la palabra correcta en los espacios en blanco.

1. Los niños son idénticos; son _____.

2. Muchos creen que el _____ es el comienzo de la vida.

3. Vamos al cine a ver una _____ con Nicolás Cage.

4. La _____ de Picasso es interesante y variada.

5. Después de los buenos conciertos hay muchos _____.

6. ¡Qué sorpresa! El hijo _____ es más alto que el hijo mayor.

7. Todos mis amigos _____ al Club de Esquí.

8. En las montañas el _____ es muy bonito.

9. Los García viven muy cerca de mi casa; son mis _____

10. No puedo _____ la conversación porque la música está muy alta *(loud)*.

Vamos a escuchar

El ingenioso hidalgo Don Quijote de la Mancha.

Escuche el disco compacto y complete las frases.

Use las formas del perfecto *(Present Perfect Tense)*

a) El ingenioso hidalgo Don Quijote de la Mancha _____ _____ , durante muchos siglos, un libro importante de la literatura española. **(ser)**

b) Miguel de Cervantes _____ _____ este famoso libro.
(escribir)

c) Don Quijote siempre _____ _____ el idealismo de la humanidad.
(representar)

d) Sancho Panza _____ _____ el realismo de la humanidad.
(simbolizar)

e) Finalmente, ¿ _____ _____ Ud. esta novela?
(leer)

Formación de la lengua.

I. Acciones hechas en el pasado. Pretérito

One of the most commonly used tenses in the whole Spanish language is the preterite tense, which is sometimes called the simple past tense. It is used to express a completed action. (In the next chapter we will learn another common past tense called the imperfect tense which is used for description in the past or for actions that may or may not have been completed.) But for normal narration of events in the past, use the preterite.

The preterite is used to express a completed action. A time frame is often specified, (anoche, ayer, el mes pasado, dos veces…).

a) We view the action as totally completed.

Miguel de Cervantes escribió Don Quijote de la Mancha.
Miguel de Cervantes wrote "Don Quijote de la Mancha."

Hablé con mi colega por dos horas.
I talked with my colleague for two hours.

b)   A time frame is often specified.

Anoche no miré televisión.
Last night I didn't watch television.

Ustedes no comprendieron la lección el viernes pasado, ¿verdad?
You all didn't understand the lesson last Friday, did you?

How to form the Pretérito?

· 1) *Drop the ending -ar, -er, -ir.*

· 2) *Replace them with*

   -ar -   é, aste, ó, amos, asteis, aron.

  -er / -ir - í, iste, ió, imos, isteis, ieron.

yo	hab**lé**	*I spoke*	nosotros/as	habl**amos**	*we spoke*
tú	habl**aste**	*you spoke*	vosotros/as	habl**asteis**	*you (all) spoke*
él/ella	habl**ó**	*he/she spoke*	ellos/as,Uds	habl**aron**	*they,you spoke*

yo	com**í**	*I ate*	nosotros/as	com**imos**	*we ate*
tú	com**iste**	*you ate*	vosotros/as	com**isteis**	*you (all) ate*
él/ella	com**ió**	*he/she ate*	ellos/as,Uds	com**ieron**	*they, you ate*

yo	viv**í**	*I lived*	nosotros/as	viv**imos**	*we lived*
tú	viv**iste**	*you lived*	vosotros/as	viv**isteis**	*you (all) lived*
él/ella	viv**ió**	*he/she lived*	ellos/as,Uds	viv**ieron**	*they, you lived*

EJERCICIO 1. Practique el cambio del tiempo presente al tiempo pretérito, llenando los espacios en blanco para describir lo que pasó ayer.

Modelo. (hablar) Generalmente no hablo en clase, pero ayer (yo) <u>**hablé**</u> mucho.

1. (hablar) Generalmente Juan habla inglés, pero ayer _____ español todo el día con su amigo mexicano.

2. (hablar) Generalmente tú no hablas con Elena, pero ayer _____ con ella.

3. (comer) Generalmente (yo) como en casa pero ayer _____ en un restaurante con mis primos.

4. (comer) Generalmente ustedes comen poco pero ayer _____ mucho.

5. (vivir) Ahora (yo) vivo en la ciudad pero en 1999 _____ en el campo.

6. (discutir) en este momento Marco y yo discutimos mucho aunque anoche no _____ .

7. (comprar) Muchas veces compro libros, pero ayer _____ chocolates.

Ejercicio 2.   Entrevista "¿Qué pasó ayer?"

Trabaje con un compañero o una compañera. Altérnense haciendo y contestando las siguientes preguntas sobre lo que pasó ayer.

1. ¿Hablaste con tus amigos ayer? ¿Dónde?

2. ¿Comiste en casa o en un restaurante?

3. ¿Comiste poco o mucho?

4. ¿Leíste el periódico ayer? ¿Cuando?

5. ¿Compraste libros ayer o chocolates?

6. ¿Trabajaste mucho o poco ayer? ¿Dónde? ¿Cuándo?

Ejercicio 3.

¿Qué pasó en la vida de tu compañero o compañera?

Escriba 3 frases en el pretérito sobre lo que pasó ayer en la vida de su compañero o compañera. Luego, lea las frases a la clase.

EJERCICIO 4. Use las formas correctas del pretérito en las siguientes frases.

a) Durante su breve vida, Selena **(vivir)** _____   en Nuevo México.

b) Gabriel García Márquez **(escribir)** _____   "Cien años de soledad".

c) Nosotros no **(estudiar)** _____   "Don Quijote" en esa clase.

d) Los estudiantes no **(conocer)** _____ a Juan cuando viajaron a Cuba.

e)   Yo **(asistir)** _____   a la clase de literatura española el año pasado.

f)   Julio Iglesias y su hijo **(viajar)** _____ a España la semana pasada.

g) ¿De qué escritores latinoamericanos **(escuchar)** _____ Uds?

h) Tú no **(escribir)** _____   cartas ayer.

i) Tú **(comprar)** _____   muchos libros durante el verano.

EJERCICIO 5: Trabaje en grupos para formar seis o más frases.

Modelo: Nosotros - bebimos - un vaso de leche - anteanoche.

Nosotros	Ellos
Rosa y Miguel	Mi padre
Natalia y yo	Tu amigo y tú

pintar
leer
beber
escribir
bailar
cantar

unos tangos
una canción
una novela
un mural
un poema
un vaso de leche

Some expressions to help you to use the pretérito.

anteanoche / ayer/ anteayer
el año pasado / el mes pasado
la semana pasada / anoche
el fin de semana pasado

_____
_____
_____
_____
_____
_____

An Important Point to Remember.

Nosotros forms of the pretérito of **-ar** and **-ir** verbs are the same as the Present tense. *Pay attention to the context.*

Ejemplos.

Siempre **terminamos** la tarea. (presente) *We always finish the homework.*
Ayer **terminamos** temprano. (pretérito) *Yesterday we finished the homework.*

Vivimos en Montreal ahora. (presente) *We live in Montreal now.*
Antes **vivimos** en Calgary. (pretérito) *Before we lived in Calgary.*

But note that in -er verbs are different.

Ejemplos.

Generalmente **corremos** en el parque. *Generally we run in the park.*
El mes pasado corrimos en la playa. *Last month we ran on the beach.*

EJERCICIO 1. Complete los espacios con la forma verbal correcta.

1. Andrés y yo _____ en la casa anoche.   **(cenar)**

2. El año pasado, ellas y yo _____ el documento.   **(escribir)**

3. Jaime y yo _____ tarde ayer.   **(llegar)**

4. Nosotros _____ ese reloj el año pasado.   **(perder)**

5. Mi hermana y yo _____ muy rápido anoche.   **(caminar)**

6. Los mellizos y yo _____ en Ontario.   **(nacer)**

II Irregular Verbs in the Preterite

A. Minor Spelling Changes.

1) Verbs ending in car, gar, zar change only in the first person form in order to keep the correct sound (*Remember that the letters* **c** *and* **g** *have two sounds, depending on the vowels that follow).*

empezar	empecé, empezaste, empezó, empezamos, empezasteis, empezaron
jugar	jugué, jugaste, jugó, jugamos, jugasteis, jugaron
sacar	saqué, sacaste, sacó, sacamos, sacasteis, sacaron

Ejemplos.   Ayer **jugaste** excelente y yo **jugué** horrible.

Todos **empezaron** el examen a tiempo, pero yo **empecé** más tarde.

2) Verbs whose stem ends in a vowel change only in the third person form, changing **i** to **y.**

leer   leí, leíste, leyó, leímos, leísteis, leyeron

oir   oí, oíste, oyó, oímos, oísteis, oyeron

Ejemplos.   Mi hermano **leyó** el periódico y yo **leí** una novela.

Nosotros **oímos** música clásica y los mellizos **oyeron** música rock.

3) Stem-changing verbs with infinitives ending in ir change the stem o to u or **e** to **i** - but only in the third person form *(pl.& sing.).*

dormir   dormí, dormiste, durmió, dormimos, dormisteis,   durmieron

morir   morí, moriste, murió, morimos, moristeis,   murieron

preferir   preferí, preferiste, prefirió, preferimos, preferisteis,   prefirieron

Ejemplos.   Tú **dormiste** bien, pero tus amigos no **durmieron** .

Nosotros **preferimos** café, pero Mabel **prefirió** té.

EJERCICIO 1. Trabaje con un/a compañero/a o en un grupo para completar las siguientes frases.

empezar

1) Yo _____ mi español y mi novio/a _____ su italiano.

sacar

2) Tú _____ dinero del banco y yo _____ mi tarjeta de crédito.

jugar

3) Juan _____ en la clase y yo _____ en el estadio.

leer

4) Todos ellos _____ las instrucciones y nosotros _____ el libro.

dormir

5) Los estudiantes _____ en la casa, pero yo _____ en el hotel.

oir

6) Tú _____ la música pero mi amiga no la _____ .

morir

7) Casi me _____ de la tristeza cuando se _____ mi perro.

preferir

8) Mis hermanos _____ estudiar en la universidad pero yo _____ el Instituto.

B. Very Irregular Verbs in the Preterite

The following very common verbs are irregular but their irregularities follow certain patterns. It is worthwhile spending some time practicing these verb because they are so often used at all levels of communication.

1)   U - stem.

Estar	estuve, estuviste, estuvo, estuvimos, estuvisteis, estuvieron
Poder	pude, pudiste, pudo, pudimos, pudisteis, pudieron
Poner	puse, pusiste, puso, pusimos, pusisteis, pusieron
Saber	supe, supiste, supo, supimos, supisteis, supieron
Tener	tuve, tuviste, tuvo, tuvimos, tuvisteis, tuvieron

2)   J - stem.

Decir	dije, dijiste, dijo, dijimos, dijisteis, dijeron
Traer	traje, trajiste, trajo, trajimos, trajisteis, trajeron

3)   I - stem.

Hacer	hice, hiciste, hizo, hicimos, hicisteis, hicieron
Querer	quise, quisiste, quiso, quisimos, quisisteis, quisieron

4)   The verbs ir and ser are forms exactly the same in the preterite   forms.
This means that **"fue"** *can mean* **"he was"** *or* **"he went"** *depending on the context.*

   Ser and Ir: fui, fuiste, fue, fuimos, fuisteis, fueron

EJERCICIO 1.   Llenar los espacios en blanco con la forma correcta de pretérito para completar la historia de Pepe.

1. **(tener)**   Una mañana Pepe _____ una idea brillante.

2. **(poner)**   Pepe se _____ la chaqueta y el sombrero.

3. **(ir)**   Luego, tomó un café y _____ a la casa de su amigo Alejandro.

4. **(decir)**   ¡Hola, Pepe! - _____ Alejandro. ¿Qué pasa?

5. **(poder)**   Necesito tu ayuda, Alejandro. Yo no _____ comprender la clase de computación.

6. **(traer)**   Bueno, amigo, ¿ _____ tú el libro de la clase?

7. **(hacer)**   No, hombre, no sé qué _____ con mi libro.

8. **(querer)**   » Entonces, mala suerte, porque ayer yo _____ comprar el libro, pero no

   (ser)   _____ posible.

EJERCICIO 2. Conteste las siguientes preguntas con frases completas.

1. ¿Tuvo usted una idea brillante ayer?
2. ¿Se puso usted una chaqueta o un abrigo hoy?
3. ¿Trajo usted su libro de texto a la clase?
4. ≈ ¿**Quiso** usted comprar un libro ayer?
5. ¿Salió usted de la casa anoche?

¿Adónde fue? ¿O estuvo usted en casa?

EJERCICIO 3. Entrevista.

Cambie las preguntas del ejercicio 2 a la forma de **tú** y úselas para entrevistar a un/a compañero/a.

EJERCICIO 5. Complete las frases con las formas correctas del pretérito de los verbos en el margen.

1) Don Quijote ________ un caballero loco. **2)** El __________ muchos libros de aventuras **3)** Y _____________________ a creer en la necesidad de imitar a los caballeros andantes *(knights errant)* de los tiempos antiguos.

4) Don Quijote ________________ la decisión de salir de su casa para ayudar a los desafortunados.

5) ___________ el deseo de salir de su casa para ayudar a los desafortunados.

6) _____ a hablar con su vecino Sancho Panza.

7) Sancho Panza ________ acompañar a Don Quijote como escudero *(page)*.

8) El caballero loco ____________ su caballo viejo y decrépito llamado Rocinante.

9) Los dos héroes ___________ muchos viajes por España y _________ en grandes aventuras.

10) Los dos hombres ______________ en peligro muchas veces.

11) Finalmente Don Quijote ______________ a su casa y ____________.

ser
leer
empezar
tomar
tener
ir
decidir
traer
hacer
participar
estar
ir
morir

≈ *The verb* **querer** *in the preterite generally has the meaning* ***to try.*** **Yo quise comprar..** *(**I tried to buy...**) This is because the preterite is for completed actions and emotional states, like wanting, loving are not usually viewed as completed.*

IV Lo, la, los, las. Pronombres directos - *Direct Object Pronouns*

A. - *Direct objects are nouns that directly receive the action of verbs.*

It is very common in Spanish to replace the direct and indirect objects by pr

Rubén Darío   escribió   poemas.

                doer -   *action* -   *receiver* of the action. *(what or who)*

Rubén Darío **los** escribió durante el Modernismo. (**Los** *is replacing los poemas*).

Notice that the pronouns generally precede the verb, except when used with infinitives or present participle or affirmative commands. *The last two uses will be studied later in the course.*

Ejemplos.

Día y noche escribió sus poemas.

Los escribió en una casa en la playa.

Tuvo que escribir**los** allá.

Día y noche oyó la música.

Día y noche **la** oyó. Deseó oir**la**.

El poeta miró el mar. El poeta **lo miró** .

El poeta quiso mirar**lo**.

Direct Object Pronouns

me *me*
te   *you*
la   *her, it, you formal fem.*
lo   *him, it, you formal masc.*
nos *us*
os   *you pl. (Spain)*
las *them, you formal fem.masc.*
los *them,you fem. masc.*

EJERCICIO 1. Cosas de mi vida.

1) Ayer perdí **(mi bolsa)**.   Ayer **la** perdí.

2) José y Pamela buscan **(los libros)**.   José y Pamela ...

3) Todos contaron **(historias).**   Todos _____

4) Yo tomé **(café)** en la mañana.   Yo   _____

5) Tuvimos **(una práctica)** en la clase.   _____

6) Terminó **(sus estudios)** en Venezuela.   _____

7) Pasamos **(las vacaciones)** en el Caribe.   _____

8) ¿Hiciste **(las empanadas)**?   _____

9) Prefirieron buscar **(un hotel)** en la playa.   _____

EJERCICIO 2. Conteste sí o no. Use los pronombres directos.

1. ¿Compraste una computadora?   **Sí, la compré.**

2. ¿Pusiste la fruta en la mesa?   _____

3. ¿Cambiaste el dinero?   _____

4. ¿Vendiste tu casa?   _____

5. ¿Viste las películas de Almodóvar?   _____

6. ¿Pintó Frida ese lienzo?   _____

7. ¿Depositaste los dólares?   _____

8. ¿Escuchaste el programa de radio?   _____

9. ¿Limpiaron Uds. los discos compactos?   _____

10. ¿Quitaron Uds. la nieve de la entrada?   _____

11. ¿Sacaron Uds. los documentos de la casa?   _____

EJERCICIO 2: **Replace** the words with the pronouns.

Estudiamos

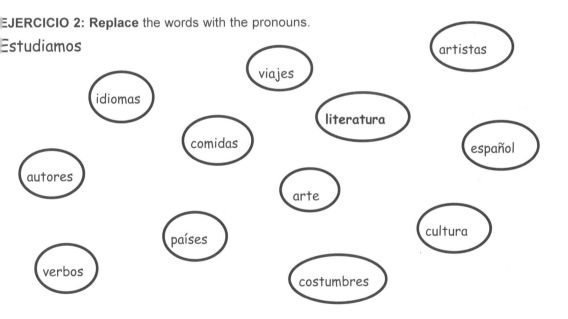

Ejemplo.   ___ ¿Estudiamos la literatura?

          ___ **Sí. La estudiamos.**

Vamos a practicar.

Actividad 1. Lectura.

≈

Una historia famosa.   Diego Rivera - "Mi vida, mi arte"

Mi hermano mellizo° y yo nacimos en la noche del 8 de diciembre de 1886.

Nuestro nacimiento° trajo mucha felicidad al hogar. Mi hermano Carlos murió débil° al año y medio de vida y yo fui a vivir con Antonia, una indígena que quise como a mi madre.

Viví en la casa de Antonia, ubicada° en medio del bosque, y como niño, amé a los animales, especialmente a una cabra° blanca y limpia de la que bebía mi leche cada día.

Cuando regresé a mi hogar en Guanajuato, mi hermana María nació. Siempre dibujé° en los muebles y paredes°de la casa. Mi padre me dio un cuarto° lleno de lienzos° donde comencé mis primeros murales.

A los once años empecé en la escuela de arte.

Así comenzó < mi vida y mi arte >. .

twin

birth
weak

located
goat

drew, walls
room, canvases

¿Cuál es la palabra correcta?

menor   mellizo.

1) Diego Rivera nació con un hermano

caminó   murió

2) Su hermano   cuando cumplió un año y medio.

animales   pintores

3) Diego apreciaba a los   cuando vivió en el campo.

cuidó   abandonó

4) Antonia   a Diego.

salió de   regresó

5) Su hermana María nació cuando Diego   la casa de sus padres.

murales   casas

6) Diego comenzó a pintar   desde niño.

≈ Diego Rivera fue un pintor y muralista mexicano de gran renombre (1886-1957). Su esposa fue la pintora Frida Khalo.

ACTIVIDAD 2. ¿Qué hizo su personaje favorito?

Piense Ud. en el nombre de un personaje famoso.

Escriba cinco hechos *(facts)* como pistas *(clues)*. Luego lea las pistas a la clase.
¿Quién puede adivinar el nombre de su personaje?

Ejemplo.

Mi personaje favorito pintó cuadros cubistas.

Nació en España, pero vivió en Francia por muchos años.

Fue muy pobre y más tarde, muy rico.

Tuvo tres esposas. Nombró a su hija, "Paloma".

¿Quién es mi personaje favorito?

1) _____
2) _____
3) _____
4) _____
5) _____

Picasso

Mi diario personal.

Ahora Ud. puede contar historias de su vida.

Escriba en su diario de la familia y amigos. Cuente una anécdota de su vida reciente o del pasado. Use el vocabulario aprendido que le va a permitir una expresión amplia.

Las acciones del pasado escritas en pretérito.

Las descripciones en imperfecto.

NOTAS

Co - padres

La costumbre de los compadres *(la comadre y el compadre).*

Los padres eligen a los padrinos y madrinas para sus hijos *(los ahijados).* Estos compadres ayudan en la educación y en lograr un trabajo para los jóvenes.

Los compadres, los familiares y los amigos forman una red eficiente para hacer contactos y negocios en la sociedad iberoamericana.

Capítulo diez

La comunicación cultural y comercial

Lista de temas

	página
Notas culturales	
Cultura, negocios	240
Cómo negociar con los chilenos	242
Notas gramaticales	
I Imperfecto del Indicativo	244
II Tres verbos irregulares en el imperfecto	247
III Los pronombres indirectos	251
When to use preterite and when to use imperfect	252
Un recuerdo de la niñez	254
La leyenda de Malinche	255

Vocabulario activo

Cultura

actualidad, la	*nowadays*
alimentación, la	*nourishment feeding*
anotación, la	*note*
correo, el	*mail carrier*
golosinas, las	*treats*
humanidad, la	*humanity*
entrada, la	*ticket for a show or function*
esclava, la	*slave*
guía, la	*guide*
loca/o, la, el	*crazy*

Mundo de los negocios

cheque, el	*cheque*
compromiso, el	*agreement,commitment*
comunicación, la	*communication*
contado (al)	*cash*
crédito, el	*credit*
cuenta corriente, la	*chequing account*
débito, el	*debit*
desventaja, la	*disadvantage*
empleo, el	*employment*
fortuna, la	*fortune*
giro, el	*money order*
industria, la	*industry*
intereses, los	*interest*
jefe/a, el, la	*boss*
minería, la	*mining*
monedas, las	*coins*
préstamos, los	*loans*
reclamos,los	*complaints*
relaciones, las	*relations*
tratado, el	*treaty*
ventaja, la	*advantage*

Acciones

aconsejar	*to advise*
atacar	*to attack*
cobrar	*to charge, cash*
conseguir	*to get*
construir	*to build*
contribuir	*to contribute*
cruzar	*to cross*
decidir	*to decide*
depositar	
devolver (ue)	*to return something*
dominar	*to dominate*
enfermarse	*to get sick*
enviar	*to send*
estar de acuerdo	*to be in agreement*
existir	*to exist*
gobernar (ie)	*to govern, rule*
imaginar	*to imagine*
incluir	*to include*
intervenir (ie)	*to intervene*
lanzar	*to throw*
llenar	*to fill*
oir	*to hear*
pagar	*to pay*
deber	*to owe*

EJERCICIO 1 Antónimos.

Escriba los antónimos para las siguientes palabras de la lista.

1. defender　　　　　＿＿＿＿＿＿＿＿

2. recibir　　　　　　＿＿＿＿＿＿＿＿

3. excluir　　　　　　＿＿＿＿＿＿＿＿

4. crédito　　　　　　＿＿＿＿＿＿＿＿

5. sacar dinero del banco　＿＿＿＿＿＿＿＿

6. la inhumanidad　　＿＿＿＿＿＿＿＿

7. el desempleo　　　＿＿＿＿＿＿＿＿

EJERCICIO 2. Definiciones.

Escriba la palabra de la lista que corresponde a cada definición.

1. ＿＿＿＿＿＿＿　　convenio, pacto, acuerdo entre dos personas o grupos

2. ＿＿＿＿＿＿＿　　billete o boleto para un espectáculo o una función.

3. ＿＿＿＿＿＿＿　　grupo de operaciones para la fabricación de productos.

4. ＿＿＿＿＿＿＿　　piezas de metal que tienen valor para las transacciones comerciales.

5. ＿＿＿＿＿＿＿　　negocio relacionado con la explotación de las minas.

6. ＿＿＿＿＿＿＿　　dinero dado a una persona con la obligación de devolverlo.

7. ＿＿＿＿＿＿＿　　obtener, adquirir.

8. ＿＿＿＿＿＿＿　　tomar una decisión.

9. ＿＿＿＿＿＿＿　　representar una cosa en la imaginación.

TLC - Tratado de Libre Comercio -   **NAFTA**

Referente al TLC, una empresa canadiense expresaba las siguientes ideas del comercio con los chilenos:

Cómo negociar con los chilenos.

Read the following ideas that came from Canadian companies doing business with Chile. Write in Spanish or English three important ideas for Canadians who want to do business in Chile.

Generalidades.

Las personas no usan sus títulos profesionales, excepto los médicos (doctor).

Es conveniente usar señor, señora o señorita antes de los apellidos.

Ejemplos. Señor Martínez __ Señora Núñez __ Señorita Acevedo.

Los chilenos conversan cerca. A menudo ponen una mano en el hombro de la otra persona.**(1)**

Es necesario mantener un contacto directo con la vista. Esto demuestra interés y sinceridad.

Golpear el puño derecho en la mano izquierda abierta es un gesto obsceno.

Levantar el puño derecho a la altura de la cabeza es el signo del comunismo.

El entretenimiento ocurre frecuentemente en hoteles y restaurantes.

No es apropiado visitar una familia sin llamar por teléfono antes. Cuando es invitado, un atraso de 15 minutos es apropiado.

No es costumbre enviar una tarjeta de agradecimiento **después** de una invitación, pero flores o dulces **antes** de la ocasión, son apreciados.

Citas *(Apointments).*

Muchos países europeos y sudamericanos escriben el día primero, después el mes y el año.

Ejemplo. 3 December 1999> 3. 12. 99. Es el mismo caso en Chile.

La puntualidad es apropiada, pero el chileno puede llegar hasta 30 minutos tarde.

Etiqueta.

La atmósfera de negocios es formal.

Los chilenos no son agresivos. Es necesario conservar el respeto y la gentileza.

No hay regateos en las tiendas ni mercados.

Los hombres estrechan la mano y las mujeres se besan en la mejilla.

En una fiesta, es común saludar a cada persona individualmente.

No es correcto preguntar ocupaciones. **(2)**

Notas culturales.

1) Esto no es un acoso sexual *(sexual harrassment)* y no es un ataque. Es simplemente un gesto de solidaridad o amistad.

2) No es correcto preguntar ocupaciones. Como ésta es una de las preguntas más comunes en las fiestas canadienses, a veces hay momentos de bochorno *(embarrasment)* cuando los chilenos y los canadienses son presentados. Pero, para el chileno la idea de preguntar a qué trabajo se dedica es como una intrusión en su vida privada y además entrar en el delicado tema de las clases sociales.

EJERCICIO 1. Cierto o Falso.

Trabaje con un/a compañero/a. Escriba Cierto o Falso delante de cada frase, según la información presentada en la lectura. Luego, corrija *(correct)* las frases falsas, explicando porqué son falsas.

1. _____ En Chile es apropiado mirar para abajo y no directamentea los ojos de la otra persona durante una conversación.

2. _____ Con frecuencia, las reuniones y entretenimientos tienen lugar en restaurantes y hoteles.

3. _____ Para indicar la fecha del 8 de julio de 2004, los chilenos escriben 8 / 7 / 04.

4. _____ Los chilenos son más formales que los canadienses y mantienen más distancia entre las personas.

5. _____ Los chilenos ponen una mano en el hombro de la otra persona porque son agresivos.

6. _____ Cuando un chileno te invita a su casa, es apropiado llegar un poco temprano, como 15 o 20 minutos antes de la hora.

7. _____ Es perfectamente aceptable enviar flores o chocolates antes de visitar una casa.

8. _____ Por lo general es correcto saludar a cada individuo con un beso en la mejilla.

Ejercicio 2. Discusiones.

Hable en un grupo sobre las siguientes preguntas y luego informe a la clase de las opiniones de su grupo.

1.   ¿Qué pregunta común en las fiestas canadienses es considerada descortés entre los chilenos? ¿Qué piensan ustedes de esta reacción?

2.   Hagan una lista de tres otras preguntas que ustedes podrían hacer para empezar una conversación en Chile.

3.   ¿Qué aspecto cultural les pareció **muy** diferente en el texto? ¿Por qué?

4.   ¿Qué problemas o dificultades pueden tener los negociantes canadienses en Chile?

Formación de la lengua.

I. Imperfecto del Indicativo. *The Imperfect Tense.*

*The imperfect tense is the other past tense besides the preterite. Whereas the preterite is used to express completed actions, the imperfect is generally used for description in the past. The imperfect verb forms are easy to remember because there are only three irregular verbs in this tense (**ir, ser and ver**). Simply take off the **-ar**, **-er**, or **-ir** ending from the infinitive and add the endings listed in the box.*

ar	er	ir
hablar	**comer**	**vivir**
hablaba	comía	vivía
hablabas	comías	vivías
hablaba	comía	vivía
hablábamos	comíamos	vivíamos
hablabais	*comíais*	*vivíais*
hablaban	comían	vivían

Ejercicio 1. En tu niñez.   *In your childhood.*
Cambie los verbos a la forma de tú.

1. (vivir)   Tú no vivías _____ en Colombia.

2. (caminar) Tú _____ a la escuela con tus hermanos.

3. (comer)   Tú _____ en casa con tu familia al mediodía.

4. (estudiar) Tú _____ todas las tardes.

5. (tener)   Tú _____ que ayudar a tu padre en el jardín.

6. (jugar)   Tú _____ con tu gato por la noche.

7. (estar)   Tú _____ contento/a con tu vida, ¿no es verdad?

Ejercicio 2. En tiempos pasados.   *In days gone by.*
Use las dos frases como modelos y cambie los verbos de acuerdo con los sujetos.

En tiempos pasados...   **En tiempos pasados...**
La gente prefería la vida natural.   **Usaban dinero en efectivo.**

1) Nosotros _____   **1)** El jefe _____

2) Mis abuelos _____   **2)** Nosotros _____

3) Yo _____   **3)** Ud. y yo _____

4) Ud. _____   **4)** Tú _____

Here are some examples of how the imperfect tense is used.

a) **A repeated or customary action in the past.** This is often translated in English by the expression **used to** ... in front of the verb.

> Mi madre trabajaba en un banco todos los días.
> *My mother used to work in a bank every day.*
> Mis hermanas y yo comíamos muchas veces en el restaurante chino.
> *My sisters and I used to eat often in the Chinese restaurant.*
> **Su ejemplo:** _____

b) **A description of what was happening in the past.** This is often translated in English with the past progressive (a form of the verb "to be" and and -*ing* word).

> En la fiesta anoche la gente bailaba salsa y merengue.
> *At the party last night people were dancing salsa and merengue.*
> **Su ejemplo:** _____

c) **Mental and emotional states or physical conditions in the past.** These states and conditions are almost always expressed in the imperfect because they are ongoing and not completed actions.

> Raúl quería mucho a su perrita cuando era niño.
> *Raúl loved his little dog a lot when he was young.*
> Detestábamos a nuestro profesor del quinto grado porque era injusto.
> *We detested our fifth grade teacher because he was unfair.*
> **Su ejemplo:** _____

c) **An action that was in progress in the past when something happened to interrupt it.** The first action that was in progress is a descriptive background and so is in the imperfect. The second action is a completed one and so is in the preterite.

> Los turistas viajaban al norte cuando empezó la tormenta.
> *The tourists were travelling north when the storm began.*
> **Su ejemplo:** _____

VI Tres verbos irregulares en el imperfecto.

The verbs **ir, ser** y **ver** are the only irregular ones in the Imperfect!!

ir   to go   iba, ibas, iba, íbamos, ibais, iban

ser   to be   era, eras, era, éramos, erais, eran

ver   to see   veía, veías, veía, veíamos, veíais, veían

Ejemplos. Los estudiantes **eran** trabajadores. *The studentes were hard workers.*

Los artistas **iban** a diferentes países del mundo.
The artists used to go to different countries of the world.

El pintor no **veía** todos los colores en el lienzo cuando era anciano.
The painter was not seeing all the colors on the canvas when he was old.

Note.   The verb **hay** *(there is / there are)* becomes **había** en el imperfecto
(there was / were) **Ejemplos.**   **Había** un vendedor en la plaza.
Había cinco personas en el banco.

EJERCICIO. Antes.

Llene los espacios con las formas correctas del imperfecto

1)   La familia **(ir)** _____ al cine una vez al mes.

2)   Mi papá **(vivir)** _____ en el campo cuando (ser) _____ niño.

3)   María no **(ver)** _____ televisión cuando (tener) _____ 5 años.

4)   Los tenores **(ir)** _____ y **(venir)** _____ en conciertos.

5)   La ópera Carmen **(ser)** _____ presentada siempre en España.

6)   El profesor **(ver)** _____ a sus estudiantes todos los días.

7)   En nuestro pueblo siempre **(haber)** _____ buenos festivales.

8)   La ventaja **(ser)** _____ el precio barato.

EJERCICIO 1. Antes y ahora

Ejemplo. Ahora podemos escribir en la computadora.   **Antes escribíamos** con lápices.

1) Ahora vemos películas en videos. Antes _____

2) Ahora sacamos dinero de las máquinas automáticas. **Antes** _____

3) Ahora tomamos videos de las reuniones de familia. **Antes** _____

4) Las comunicaciones son en el correo electrónico. **Antes** _____

5) Ahora hay mucha polución en el planeta. **Antes** _____

6) Los niños ven mucha televisión. **Antes** _____

antes, los incas ...

Ejemplos.

1.   **vivían** una vida muy natural.

2.   _____

3.   _____

4.   _____

5.   _____

6.   _____

ahora, los turistas ...

1.   **toman** fotos en Machu Pichu.

2.   _____

3.   _____

4.   _____

5.   _____

6.   _____

Lea la lectura sobre El Chasqui y conteste las preguntas después.

El antiguo imperio° de los incas duró mucho tiempo
(aproximadamente de 1100 a 1533 después de Jesucristo).Tenía
una gran extensión y ocupaba gran parte de las tierras que hoy
son Colombia, Ecuador, Perú, Bolivia, Argentina y Chile.

empire

Uno de los trabajos más importantes en la civilización de los
incas fue el cartero °o chasqui. Este chasqui recorría enormes
distancias con las cartas ° de los nobles ° del imperio.

mailcarrier
letters / noblemen

Construían caminos y rutas especiales para el chasqui. Cada día
él recorría extensas regiones. Cambiaba su turno°con otro que lo
esperaba en cabinas° especiales. Los habitantes lo esperaban y
le ofrecían comidas y bebidas. A veces él dormía en esa casa y
continuaba su trabajo muy temprano en la madrugada.°

shift
reception booths

dawn

Su tarea era tan importante que lo consideraban una autoridad del
gobierno.

Señor

Comprensión.

1. ¿Dónde dormía el chasqui?

2. ¿Dónde vivían los incas?

3. ¿Qué trabajo hacía el chasqui?

4. ¿Dónde lo esperaba el otro chasqui?

5. ¿Qué le ofrecían los habitantes?

6. ¿Cómo consideraban al chasqui?

7. ¿Duró mucho o poco tiempo el imperio de los incas?

EJERCICIO. ¿Sabía Ud.que ...?

Completar las frases. Llene los espacios con la forma correcta del imperfecto.

Los aztecas **(vivir)** _____ principalmente en las regiones de México.

Los mayas **(habitar)** _____ la América Central y los incas **(gobernar)** _____ en América del Sur.

Estas tres civilizaciones **(existir)** _____ antes de la llegada de Cristóbal Colón.

Los tres grupos **(cultivar)** _____ la tierra y **(dominar)** _____ extensos territorios.

Los incas, aztecas y mayas **(construir)** _____ templos y ciudades de piedra que han permanecido intactas por siglos.

EJERCICIO 4. Escriba una descripción de una persona que usted recuerda de su niñez. Escriba 5 o 6 frases en el imperfecto sobre esta persona.

Ejemplo.

Mi abuela tenía un nombre grande y pomposo. Artemisa del Carmen Valdés del Valle. Su cara mostraba arrugas *(wrinkles)* propias de la edad, pero jugaba mucho con sus nietos. Quería a toda la familia y preparaba las comidas más deliciosas con amor de abuelita...

_____

_____

_____

_____

II. Los pronombres indirectos.

Indirect Object Pronouns are used when the action of the verb is directed to, for or from the person.

María habla <u>a sus amigos</u>. (*a sus amigos is the **Indirect Object**). María talks to her friends.*

María **les** habla. (les replaces a sus amigos) *María talks to them.*

El ladrón **me** robó el dinero.   *The thief stole the money from me.*

Compré flores <u>para mi amigo</u> enfermo.   *I bought flower for my sick friend.*

Le compré flores.   *I bought flowers for him.*

Notice that the pronoun immediately precedes the verb, even in a negative sentence.

Adolfo **no les** habla.   *Adolph doesn't talk to them.*   ≈

Las inversiones financieras daban fortunas <u>a los bancos</u>.
The financial investments brought fortunes to the banks.

Las inversiones financieras **les** daban fortunas.
The financial investments brought them fortunes.

El banco no cobraba un interés alto<u> a sus clientes</u>.
The bank was not charging a high interest to its clients.

El banco no **les** cobraba un interés alto.
The bank was not charging them a high interest.

Indirect
   Object Pronouns

me   *from, to me*

te   *from, to you*

le   *from ,to him, her, you*

nos *from, to us*

os   *from, to you*

les *from, to them, you*

≈ *Object pronouns may be attached to the end of the infinitive and present participle, just as the reflexive pronouns are. We will study this later.*

EJERCICIO.

1. El comerciante regalaba golosinas (a los niños). __ **les** regalaba

2. El director daba préstamos (a los estudiantes). _____

3. ¿Cuánto sueldo (salary) pagaban en la tienda? (a ti) _____

4. El profesor pagaba la cuenta (a sus colegas). _____

5. ¿Hacía Ud. una pregunta? (a mí). _____

6. Enviaban los libros (a nosotros). _____

7. El banco oía los reclamos (al cliente) _____

III.   When to use Preterite and when to use Imperfect.

Choosing between preterite and imperfect depends on the intention and point of view of the speaker (or writer). Spanish speakers often don't know why they are using one or the other because they grow up with the distinction programmed in their minds and make the choices easily and correctly without having to think about it. As English speakers, we do not have this program since English has only one past tense. We have to learn guidelines and practice them.

1. Completed versus extended (stretched out) action.

For action viewed as definitely completed, use the preterite. For action viewed as taking place when something happened to interrupt it, use the imperfect. Notice that the past progressive *(was - ing)* in English often translates the imperfect.

Eduardo jugó a las cartas y se fue. ***(preterite)***

Eduardo played cards and left.

Eduardo jugaba a las cartas cuando los ladrones entraron. ***(imperfect)***

Eduardo was playing cards when the thieves entered.

2. Single action versus repeated habitual action.

To express a single action viewed as finished, use the preterite. To describe repeated or habitual action in the past, use the imperfect. Notice that **used to** or would often translate the imperfect.

Mi esposo y yo nadamos mucho cuando estuvimos en Ontario. ***(preterite)***

My husband and I swam a lot when we were in Ontario. (Viewed synthetically)

Mi esposo y yo nadábamos mucho cuando vivíamos en Ontario. ***(imperfect)***

My husband and I used to swim a lot when we lived in Ontario

My husband and I would often swim when we lived in Ontario.

(Viewed as repeated or habitual)

3. Telling time, age and emotional or mental states.

The preterite expresses completed actions with a definite beginning and end.

The imperfect (meaning "not complete") is used for description of processes without definite beginnings and endings. Therefore, it is always used for telling time and age, and most of the time for describing emotional and mental conditions, such as loving, hating, being sad, etc.

Eran las cinco y media cuando salimos para el aeropuerto.

It was five thirty when we left for the airport.

¿Cuántos años tenía tu abuelo cuando lo viste la última vez?

How old was your grandfather when you last saw him?

Mi madre quería a sus primos, pero odiaba a su tío cruel.

My mother loved her cousins but hated her cruel uncle.

4. A general rule: imperfect for description and preterite for completed action.

Some people find it helpful to visualize a horizontal line for imperfect (stretched out, extended or habitual action, or mental or emotional states extending indefinitely) and a vertical line for preterite (short abrupt action or action viewed synthetically as having begun and ended). It is best to practice imperfect and preterite in the context of stories or conversations.

Vamos a practicar

Un recuerdo de la niñez.

Seleccione el pretérito o el imperfecto. Remember to ask yourself if the intention is to describe or to express action, which is completed at that point in the story.

1) When I was a child I lived in Victoria. I had a sister and we would often play in the woods.

Cuando yo **(fui - era)** niña/o, **(viví - vivía)** en Victoria. **(Tuve - tenía)** una hermana y a menudo **(jugamos - jugábamos)** en el bosque.

2) My father was a lawyer. One day, it was six o'clock and he was still working in his office when a client came in.

Mi padre **(fue - era)** abogado. Un día cuando **(eran - fueron)** las seis y él todavía **(trabajó - trabajaba)** en su oficina, **(entró - entraba)** un cliente.

3) The client had something mysterious in his pocket. He took it out: A cute little (female) dog! Then, the client said to my Dad: "Here's a present for your children."

El cliente **(tuvo - tenía)** algo misterioso en el bolsillo. Lo **(sacó - sacaba)**. ¡Una bonita perrita! Entonces, el cliente le **(dijo - decía)** a mi papá: "Aquí hay un regalo para tus hijos".

4) The little dog was called Duchess and she seemed intelligent. She was only six months old. Afterwards, my sister and I took her to the woods every day. We loved her a lot, and we still do.

La perrita se **(llamó - llamaba)** "Duquesa" y **(pareció - parecía)** inteligente. **(Tuvo - Tenía)** solamente seis meses. Después de ese día, mi hermana y yo la **(llevamos - llevábamos)** a pasear al bosque todos las tardes. La **(quisimos - queríamos)** mucho y todavía la queremos.

La leyenda de Malinche - Marina - "La llorona".

Llene los espacios con la forma correcta del imperfecto o pretérito.

≈

Malinche (**ser**) _____ una princesa india. Su padre (**morir**) _____ cuando ella

(**ser**)_____ una niña y su padrastro la (**vender**) _____ a otra tribu como esclava.

Malinche (**vivir**) _____ en la costa oriental cuando los españoles (**llegar**) _____ a
América.

Los indígenas siempre (**enviar**) _____ regalos. Entre los regalos (**ir**) _____ Malinche y
otras jóvenes.

Los monjes le (**enseñar**) _____ español a Malinche y le (**dar**) _____ un nombre
nuevo. Marina.

Un día el conquistador Hernán Cortéz (**tener**) _____ dificultades con la lengua y
(**pedir**) _____ una intérprete. Cuando Cortéz (**ver**) _____ a la joven (**impresionarse**)
se _____ por su inteligencia y belleza.

Malinche (**enamorarse**) se _____ del español y lo (**ayudar**) _____ en
traducciones. Cuando Hernán Cortéz (**morir**) _____ , Malinche (**estar**) _____ loca de
dolor.

En las siguientes líneas llene los espacios en el tiempo presente.

En la actualidad, los mexicanos (**creer**) _____ que su alma (**caminar**) _____ por las
calles de los pueblos. La gente de México (**escuchar**) _____ su llanto de remordimiento
por la traición a sus hermanos indígenas. La

Ay de mí, llorona,

llorona de azul celeste...

Ayer <u>*era*</u> *maravilla y* *ahora* ni sombra <u>*soy*</u>

...

Canción popular < La llorona >

Composición. Escriba usted un párrafo de
10 frases sobre uno de los siguientes temas,
usando el pretérito
y el imperfecto.

1.   Un día perfecto de mi vida.

2.   Un día horrible cuando todo resultó mal.

3.   Un recuerdo *(memory)* de mi niñez.

4.   Un viaje interesante.

 ≈ »"La llorona" es una leyenda mexicana con varias versiones. Ésta es una versión. También "la llorona"
existe como una canción folklórica.

Spanish- English
Vocabulary

A

abajo	down, below	aretes	ear-ring	caliente	hot
aborigen	aboriginal	argentino/a	Argentinian	calor	heat
abrigo	coat	arquitecto	architect	cama doble	doble bed
Abogado	lawyer	ascensor	elevator	camarero/a	server, waiter
abrir	to open	asesor	consultant	cambiar	to exchange
abuelo/a	grandfather	así	like this	caminar	to walk
aburrido	boring,tedious	astuto/a	clever	camisa	shirt
acampar	to go camping	avión	airplane	camiseta	T shirt
aceite	oil	ayudante	assistant, helper	campo	countryside, field
aceitunas	olives	ayudar	to help	canadiense	Canadien
acentuar	to stress	azúcar	sugar	cansado/a	tired
aconsejar	to advise	azul	blue	cara	face
acostarse (ue)	to go to bed			caro/a	expensive
acusar	to accuse	**B**		carne	meat
adelante	in front			carta, menu	menu
adentro	inside	bailar	to dance	casa	house
adivinar	to guess	bajar	to go down	cena	supper
afuera	outside	bañarse	to bathe	cenar	to dine, eat supper
agua	water	baño privado	private bathroom	centro	centre
águila	eagle	barato/a	cheap	cerca	close
ahora	now	beber	to drink, take	cerrar	to close
ahorrar	to save	bifték, el	steak	chaqueta	jacket
aire	air	blanco/a	white	cheques viajeros	travellers cheques
alemán/a	German	blusa	blouse	chileno/a	Chilean
algo	something	boca	mouth	cita	appointment
almorzar (ue)	to have lunch	bolsa de valores	stock market	ciudad	city
almuerzo	lunch	bolsa	purse	cliente	customer
amable	kind	bonito	pretty	colega	colleague
amar	to love	botas	boots	color	colour
amarillo	yellow	brazo	arm	comenzar (ie)	to begin
amigo	friend	brillante	brilliant	comer	to eat
amor	love	bromear	to joke or fool	comerciante	businessperson
anillo	ring	around		comercio	business
año	year	buscar	to search	comidas	meals
antes	before	buen/o/a	good	como	how, as, like
apellido	surname			compañero/a	classmate
aplausos	applause	**C**		comprar	to buy
aprender	to learn			comprender	to understand
		cabeza	head	conocer	to know (by senses)
aquel	that	cabra	goat		
árbol	tree	calcetines	socks		

contador/a	accountant
contar	to tell, count
contar (ue) chistes	to tell jokes
contento/a	content
correr	to run
cosas	things
costar (ue)	to cost
costumbre	custom
creer	to believe
criticar	to criticize
cual	which
cuando	when
cuarto doble	double room
cuchara	soup spoon
cucharita	tea spoon
cuchillo	knife
cuenta	bill
cuerpo	body
cuidado	care
cumpleaños	birthday

D

dar	to give
débil	weak
decir (i)	to say, to tell
defender (ie)	to defend
dentista	dentist
depender	to depend
deprimida	depressed
desayunar	to have breaksfast
desayuno	breakfast
descansar	to rest
descripcion	description
desear	to wish, want
desierto	desert
despacio	slow
despertarse (ie)	to wake up

dinero	money
diversion	entertainment
divertirse (ie)	to enjoy oneself
doler	to hurt
dolor	pain
domingo	sunday
dormirse (ue)	to fall asleep
droga	drug
duda	doubt
dulce	sweet

E

edificio	building
economizar	to economize
el	the
él	he
ella	she
ellos/as	they
empezar	to begin
empleado/a	employee
encantado/a	enchanted
enfermero/a	nurse
enfermo/a	sick
ensalada	salad
enseñar	to teach
entender	to understand
entonces	then
entrar	to enter
entrevista	interview
escalera	stairs
escocés/a	Scottish
escribir	to write
escuchar	to listen
español/a	Spanish
esperar	to hope, to wait for
esquiar	to ski
estacion	season
estadounidense	American
estar	to be

estudiante	student
estudiar	to study
explicar	to explain

F

falda	skirt
famoso/a	famous
farmacia	pharmacy
farmacia	pharmacy
fideos	pasta
fideos	pasta
francés/a	French
frío/a	cold
fuego	fire
fuerte	strong

G

ganar	to earn, to win
gastar	to spend
gato	cat
gente	people
gerente	manager
golosinas	sweets
gorra	cap
granja	farm
granjero/a	farmer
gris	gray
grupo	group
guantes	gloves
guapo/a	good-looking
guardia	guard
guerra	war
gustar	to like

H

hablar	to speak
hacer	to do, to make
hambre	hungry
hasta	until
hay	there is/are
hecho a mano	handmade
hermano	brother
hijo	son
hija	daughter
historia	history, story
hogar	home
hoja	leaf,
hola	Hi!
hombre	man
hora	hour
hoy	today
huerto/a	vegetable garden

I

idioma	language
importar	to mind, import
ingeniero/a	engineer
inglés/a	English
interesar	to interest
inversión, la	investment
invertir (ie)	to invest
investigador/a	researcher
invierno	winter
irlandés/a	Irish
isla	island
ir	to go

J

jabón	soap
jamás	never
jamón	ham
japonés	Japanese
jefe/a	boss
joven	young
juego	game
jueves	Thursday
jugar (ue)	to play
jugo	juice

K

kilo	kilogram
kilómetro	kilometre

L

labios	lips
lado	side
lago	lake
lástima	pity
lavar	to wash
lavarse	to wash oneself
leche	milk
lechuga	lettuce
lectura	reading
leer	to read
lejos	far
levantarse	to get up
libro	book
lienzo	canvas

limpiar	to clean
llamar	to call
llave	keys
llegar	to arrive
luna	moon
lunes	Monday
luz	light

M

mal/o/a	bad
mañana	morning, tomorrow
manejar	to drive, operate
mano	hand
máquina	machine
mar	sea
mariscos	seafood
marrón	brown
martes	Tuesday
mayor	older, oldest
medicamento	medicine
médico/a	doctor
medio/a	half, middle
mejor	better
mellizo	twin
menor	younger
merienda	snack
mes	month
mesa	table
mexicano/a	Mexican
mi/s	my
miedo	fear
miércoles	Wednesday
mirar	to watch

modesto	modest			platos fuertes	main dishes
momento	moment			platos pequeños	side dishes
monja	nun			playa	beach
montaña	mountain			pobre	poor
mujer	woman			poco	little
mundo	world			poder (ue)	to be able, can
				poema	poem

N

nacer	to be born
nacimiento	birth
nación	nation
nacionalidad	citizenship, nationality
nada	nothing
nadar	to swim
naranja	orange (fruit)
naranjo	orange (colour)
necesitar	to need
negociar	to negotiate
negocio	business
negro	black
niño/a	child
noche	night
nombre	name
nosotros	we
noticias	news
nuestro/a/s	our
número	number

O

o	or
opinar	to give an opinion
obra	art
ofrecer	to offer
oír	to hear
oreja	ear
otoño	autumn, fall
oveja	sheep

P

pagar	to pay
país	country
paisaje	landscape
pájaro	bird
palabra	word
pálido	pale
pantalones	pants
papel	paper
parecer	to seem
partes	places
participar	to participate
pasar	to spend time, pass
pasear	to go out
pasta de dientes	tooth paste
pasteles	pastries
patinar	to skate
paz	peace
pedir (i)	to ask, to order
película	movie
peligro	danger
pensar (ie)	to think
peor	worse
pequeño/a	small
perder (ie)	to lose
periódico	newspaper
periodista	journalist
perro	dog
personaje	character
personal	staff
persona	person
pertenecer	to belong
pescado	fish
picante	spicy
píldora	pill
pimienta	pepper
piso	floor
pizarra	blackboard
placer	pleasure
plantar	to plant
plato	plate

polaco/a	Polish
pollo	chicken
poner	to put
ponerse (la ropa)	to put on (clothing)
por supuesto	of course
postre	dessert
práctico/a	practical
precio	price
preferir	to prefer
pregunta	question
primavera	spring
primero	first
primo/a	cousin
prisa	hurry
profesión	profession
profesor/a	professor, teacher
prometer	to promise
pronto	soon
pronunciar	to pronounce
propina	tip
provincia	province
pueblo	town
puerco	pork
puerta	door
puro/a	pure

Q

que	that
qué	what?
querer (ie)	to want, to love
queso	cheese
quien	who
quiosco	kiosk

quitar	to take away

R

razón	right
realidad	reality
recibir	to receive
recuerdo	memory
refugio	refuge, shelter
regatear	to bargain
remedio	remedy
repetir	to repeat
reunión	meeting
reunirse	to get together, to meet
revista	magazine
rico	rich
rojo	red
ruso/a	Russian

S

sábado	saturday
sacar	to take out
sal	salt
sala	room
salado/a	salty
salir	to go out
salud	health
salvadoreño/a	Salvadorean
sano/a	healthy
sed	thirsty
semana	week
sembrar	to sow
sentado/a	seated
sentarse (ie)	to sit down
ser	to be
servir (i)	to serve
silla	chair
simpático/a	nice
sitios	places

sobrino/a	nephew
sol	sun
sombrero	hat
sopa	soup
sorpresa	surprise
su/s	her,his,your,their
subir	to go up
sueño	sleepy
suerte	luck
sufrir	to suffer
suicidarse	to commit suicide

T

teatro	theatre
tarde	afternoon, late
tarjeta de crédito	credit card
técnico/a	technician
teléfono	telephone
telenovelas	soap-operas
temprano	early
tenedor	fork
tener	to have
territorio	territory
terror	thrill
tiempo	weather, time
tío/a	uncle, aunt
toallas	towels
tomar	to drink, take
trabajar	to work
tradición	tradition
traer	to bring
tráfico	traffic
traje de baño	swimming wear
tranquilo/a	calm
tú	you
tu/s	your

V

valle	valley
vamos	let's, we go
variado/a	various
vecino	neighbor
vendedor/a	salesperson
vender	to sale
venir	to come
ventana	window
verano	summer
verde	green
verduras	vegetables
vestido	dress
vestirse (i)	to get dress
vez	once
viajar	to travel
viernes	Friday
vino	wine
visitar	to visit
vivir	to live
volver (ue)	to come back
vosotros	you (plural)

Y

Yo	I, myself
ya	already
yerba	weed, herb

Z

zaguán	entrance, porch, hall
zanahoria	carrot
zapato	shoe
zapatilla	slipper
zócalo	socle
zoológico	zoo
zorro/a	fox

English - Spanish

Vocabulary

A

ability	habilidad
able	capaz
aboriginal	originario, aborigen
above	arriba
accept, to	aceptar
achieve, to	lograr, alcanzar
aching	dolor
accomplish, to	cumplir, efectuar
accountant	contador/a
across	al frente
aknowledgment	reconocimiento
actress	actriz
address	dirección
advance, to	adelantar, avanzar
advertisement	aviso, anuncio
advise, to	aconsejar
after	después
again	otra vez
age	edad
agree	concordar, convenir
air	aire
all	todo/a
allow	conceder, permitir
also	también
American	estadounidense
among	entre, rodeado de
amount	cantidad
amusement	diversión
and	y
anger	enojo, disgusto
another	otro/a
answer	respuesta
applauses	aplausos
appointment	cita
Argentinian	argentino/a
arrive, to	llegar
art	obra
ask, to, order	pedir (i)
assistant, helper	ayudante

B

back	espalda
bad	mal/o/a
bag	bolsa
baggage	equipaje
bargain, to	regatear
balloon	globo
barter	cambiar, permutar
bathe, to	bañarse
be able, can	poder (ue)
be born, to	nacer
bed	cama
begin, to	comenzar (ie)
behind	atrás
believe, to	creer
bell	campana
belong, to	pertenecer
beside	al lado
better	mejor
between	entre dos
bird	ave, pájaro
bill	cuenta
birth	nacimiento
birthday	cumpleaños
black	negro
blouse	blusa
blue	azul
boat	buque, barco, bote
boots	botas
boss	jefe/a
boy	niño
bread	pan
breakfast	desayuno
breaksfast, to	desayunar
breathe, to	respirar
bring, to	traer
broad	ancho, amplio
broken	roto, quebrado
brown	marrón
budget	presupuesto
businessperson	comerciante

C

cabin	cabaña, choza
call	llamar
Canadien	canadiense
candle	candela, vela
candy	dulce
canvas	lienzo
cap	gorra, la
care	cuidado
carry	llevar
cash	dinero en efectivo
cat	gato
chair	silla
chalk	tiza
chat	charlar, conversar
change	cambiar
cheap	barato/a
chicken	pollo
child	niño/a
chill	frío, escalofrío
choose	elegir, optar por
Chilean	chileno/a
citizenship	nacionalidad
clean, to	limpiar
clear	claro, transparente
clever	astuto/a
close, to	cerrar
cloud	nube
coat	abrigo
cold	frío
colleague	colega
come back, to	volver (ue)
come, to	venir
commit suicide	suicidarse
consultant	asesor
cost, to	costar (ue)
country	país
credit card	tarjeta de crédito
cry	gritar, llorar
customer	cliente

D

damage	daño
dance, to	danzar, bailar
daughter	hija
day	día
debt	deuda
deep	profundo, hondo
defend, to	defender (ie)
depart	partir, irse
dentist	dentista
dessert	postre
development	desarrollo
dine, to	cenar
dinner	comida
discover, to	descubrir
dish	plato
diverse	diverso/a
do, to, make	hacer
doble bed	cama doble
doble room	cuarto doble
draw, to	dibujar
dream	sueño
drive, to	conducir
drop	gota
drug	droga
dust	polvo
duty	obligación
Dutch	holandés

E

early	temprano
earn, to, win	ganar
eat	comer
earth	tierra
easy	fácil
economize, to	economizar
elevator	ascensor
employ, to	emplear
employee	empleado/a
empty	desocupado, vacío
encounter	encuentro

engineer	ingeniero/a
English	inglés/a
enjoy oneself, to	divertirse (ie)
enough	suficiente
enter, to	entrar
evening	tarde
ever	siempre, en todo caso
everything	todo
exchange, to	cambiar
expensive	caro/a
eye	ojo

F

face	rostro, cara
fair	honrado, justo, claro
fall	caída
fall asleep, to	dormirse (ue)
famous	famoso/a
far	lejos
fear	miedo, terror
feel, to	sentir
fence	cerca, barrera
find, to	encontrar
finger	dedo
fire	fuego
fish	pescado
fix	arreglar, poner orden
flesh	carne humana
floor	piso
fly, to	volar
follow, to	seguir
food	comida
foot	pie
fork	tenedor
fraud	fraude
French	francés/a
friend	amigo/a
from	desde, de
full	lleno/a

G

gain	ganancia
game	juego, partido
German	alemán/alemana
gesture	gesto, acción
get	lograr, alcanzar
get dress, to	vestirse (i)
get out	sacar
get together, to	reunirse
get up, to	levantarse
give, to	dar
glass	vidrio
gloves	guantes
go, to	ir
go out, to	salir
go to bed, to	acostarse (ue)
go up, to	subir
goat	cabra
gold	oro
good	bueno
grandfather	abuelo
green	verde
grey	gris
ground	tierra, suelo
guess	adivinar
gypsy	gitano/a

H

ham	jamón
half	media, mitad
hand	mano
handmade	hecho a mano
handsome	guapo/a
happen, to	suceder, pasar
hard	duro, firme
hat	sombrero
have, to	tener
head	cabeza

health	salud	*joke,to, fool around*	bromear	*long*	largo, extenso
healthy	sano/a	*joke*	chiste	*look, to*	mirar
heel	tacón	*join, to*	unir, juntar	*lose. to*	perder (ie)
hear, to	oír	*journalist*	periodista	*lost*	perdido
heat	calor	*juvenile*	joven, juvenil	*loud*	ruidoso
here	aquí	*joy*	alegría	*love, to*	querer, amar
help, to	ayudar			*low*	bajo
high	alto			*luck*	suerte
hill	colina	**K**		*lunch*	almuerzo
hit, to	golpear, pegar	*keep*	mantener	*lunch, to*	almorzar (ue)
home	hogar	*key*	llave		
hope, to, wait for	esperar	kill	matar	**M**	
hot	caliente	kind	generoso/a		
house	casa	kiss	beso	*main*	principal, mayor
hunger	hambre	*knife*	cuchillo	*main dishes*	platos fuertes
hurry	prisa	*know, to (by senses)*	conocer	*make, to*	hacer
hurt, to	doler, dañar			*male*	masculino
husband	esposo			*manage*	dirigir, conducir
		L		*manager*	gerente
I		*ladder*	escala	*maple*	arce
		lady	dama, señora	*mark*	marca, señal
ignore, to	ignorar	*lake*	lago	*maybe*	quizás, acaso
in	en, dentro, encima	*lamp*	lámpara	*meadow*	pradera
income	entrada, ingreso	*land*	tierra, terreno	*measure*	medida
increase	aumento	*landscape*	paisaje	*meat*	carne
inhabitant	habitante, población	*large*	grande, grueso	*medicine*	medicamento
insane	loco, insano	*late*	tarde	*melt, to*	derretir, disolver
insurance	seguro, póliza	*laugh, to*	reír	*mercy*	misericordia, perdón
interest, to	interesar	*law*	ley	*merge*	fundir, combinar
introduce	presentar	*lazy*	flojo, perezoso	*merry*	divertido, jovial
invest, to	invertir (ie)	*leaf*	hoja	*Mexican*	mexicano/a
investment	inversión	*leave, to*	dejar, abandonar	*mind, to*	importar
Irish	irlandés/a	*leg*	pierna	*miss, to*	errar, perder
iron	hierro, fierro	*ess*	menos	*modest*	modesto
island	isla	*letter*	carta, letra	*moist*	húmedo, jugoso
itinerary	ruta, itinerario	*lie*	mentira, ficción	*most*	la mayor parte
		life	vida	*money*	dinero
		like, to	gustar	*move, to*	mudar, trasladar
J		*light*	luz	*movie*	película, cine
		liquid	líquido	*much*	mucho/a
jacket	chaqueta	*list*	lista	*my*	mi, mis
Japanese	japonés	*loan*	préstamo		
job	trabajo	*located*	ubicado/a		
		lock	cerradura, candado		

N

nap	siesta
narrow	estrecho, angosto
nature	naturaleza
near	cerca, junto
neck	cuello
need, to	necesitar
negotiate, to	negociar
never	nunca, jamás
nice	simpático
night	noche
noisy	ruidoso/a
noodles	fideos
noon	mediodía
now	actualmente, ahora
nowadays	hoy, en nuestros tiempos
nun	monja
nurse	enfermero/a

O

object	objeto, artículo
observe, to	observar
obscure	oscuro/a
odd	impar, raro
obtain, to	obtener
off	fuera
offer , to	ofrecer
old	viejo, anciano/a
olive	aceituna
on	en, sobre
open, to	abrir
or	o
order	orden
orange	naranjo/a
our	nuestro/a
out	fuera, afuera
over	en, sobre, acerca

owe	deber
own	propio

P

pack	empacar
pair	pareja, par
pale	pálido/a
pants	pantalones
paper	papel
parcel	paquete
parents	padres
pass, to	pasar
pay, to	pagar
pharmacy	farmacia
people	gente, pueblo
pepper	pimienta
pick,to	elegir, escoger
pity	lástima
pill	píldora
plain	plano/a, liso/a
plane	avión
plate	plato
play, to	jugar (ue)
pleasure	gusto, placer
poem	poema
Polish	polaco/a
polite	cortés, amable
pork	puerco
power	poder
prairie	pradera
private bathroom	baño privado
profession	profesión
professor	profesor/a
profit	ganacia, beneficio
project	proyecto
promise, to	prometer
proof	prueba
policy	política

purse	bolsa
put on, to	ponerse
put, to	poner

Q

quick	rápido
quiet	callado, tranquilo

R

race	raza
raise, to	levantar
rate	tarifa
raw	crudo/a
read, to	leer
ready	listo
receive, to	recibir
red	rojo
refuge, shelter	refugio
reinforce, to	reforzar
relative	pariente
relief	alivio, soccorro
remain, to	quedarse
remmedy	remedio
remove, to	quitar
rent, to	alquilar, arrendar
repair, to	reparar, arreglar
reply, to	responder
researcher	investigador/a
resort	lugar de veraneo
resolve, to	resolver
respect, to	respetar,
rest, to	descansar
return, to	volver, regresar
review	repaso
rich	rico, sabroso
ring	círculo, anillo
right	derecho/a

rise, to	subir, levantar
river	río
risk	riesgo
road	camino, carretera
rob, to	robar, burlar
room	cuarto, sala
Russian	ruso/a

S

sad	triste, pensativo
sail, to	navegar
salad	ensalada
salesperson	vendedor/a
salty	salado/a
Salvadorean	salvadoreño/a
same	igual, mismo
sand	arena
save, to	ahorrar
sauce	salsa
say, to, tell, to	decir (i)
school	escuela
Scottish	escocés/a
sea	mar
seafood	mariscos
see, to	ver
seed	semilla
seem, to	parecer
send, to	enviar
serve, to	servir (i)
server, waiter	camarero/a
set, to	poner, colocar
share, to	compartir, dividir
sharp	agudo
ship	buque, nave
shirt	camisa
shoe	zapato
shore	playa, ribera, orilla
short	corto, reducido
shy	tímido
sick	enfermo/a
side	lado, costado
side dishes	platos

silence	silencio
silver	plata
sin	pecado
sister	hermana
sit down, to	sentarse (ie)
size	medida, tamaño
skin	piel, cutis
skirt	falda
slender	delgado
smile	sonrisa
smooth	suave
snack	merienda
soap	jabón
socks	calcetines
spoon	cuchara
sore	herida
sow, to	sembrar
space	espacio
spell, to	deletrear
Spanish	español/a
spend time, to, pass	pasar
spend, to	gastar
Spring	primavera
sports	deportes
staff	personal
stairs	escalera
state	estado
station	season, estación
steak	bifték, el
still	todavía
stock market	bolsa de valores
store	tienda
story	cuento
street	calle
stress	tensión, estrés
strong	fuerte
student	estudiante
succeed	tener éxito, triunfar
sudden	repentino, pronto
suffer, to	sufrir

sugar	azúcar
Summer	verano
sun	sol
supper	cena
support, to	apoyar
sure	seguro, cierto
sweet	dulce
swimming wear	traje de baño

T

table	mesa
take, to	tomar
talk, to	hablar, conversar
tall	alto, elevado
taste, to	probar, saborear
tax	impuesto
T shirt	camiseta
tea spoon	cucharita
teach, to	enseñar
technician	técnico/a
teeth	dientes
tell jokes, to	contar (ue) chistes
that	que, ese/a
then	entonces
thick	grueso
thin	delgado
things	cosas
think, to	pensar (ie)
thirst	sed
throat	garganta
through	a través
tight	apretado
time	tiempo
tongue	lengua
tooth paste	pasta de dientes
touch, to	tocar
towels	toallas
town	pueblo
track	huella, senda
traffic	tráfico

train	tren
tradition	tradición
travelers cheques	cheques viajeros
treasure	tesoro, riqueza
tree	árbol
trip	viaje
true	verdad
truck	camión
trust, to	confiar
try, to	tratar, intentar
turn	turno
twin	mellizo

U

ugly	feo
Ukrainian	ucraniano/a
umbrella	paraguas
unable	incapaz
under	abajo, debajo
unhappy	infeliz
united	unido
unknown	desconocido
up	arriba
use, to	usar
usual	habitual
utensils	utensilios
uva	grape

V

vacation	vacaciones
vase	florero
various	diverso, variado
very	muy
vest	chaqueta

veil	velo
voice	voz
void, to	anular

W

wage	sueldo, salario
wait, to	esperar
waiter	camarero
wake up, to	despertarse (ie)
wall	muro, pared
want, to love	querer (ie)
warm	caliente, cálido/a
wash, to oneself	lavarse
watch, to	mirar, observar
water	agua
wave	onda, ola
way	ruta, manera
weak	débil
weather	clima, tiempo
well	bién
white	blanco

Y

yard	patio
years	años
yellow	amarillo
younger	menor
your	tu, tus

Guía de secciones en el disco compacto
CD - TOC

			Tracks
Capítulo preliminar A			**1 Introduction**
Pág.	18	Nombres comunes en español	2
	19	Nombres famosos	3
	20	Saludos y despedidas	4, 5, 6, 7, 8
	26	¿Cómo se llama usted?	9
	28	Vocabulario para la sala de clases	10
	30	La pronunciación en español	11
	31	Las vocales	12
	33	El alfabeto	13
	36	Pronuncie y adivine	14
	39	Los números	15
Capítulo preliminar B			
Pág.	53	La hora	16
	59	El calendario	17
	62	Interrogaciones	18
Capítulo 1			
Pág.	64	Vocabulario. La identidad	19
	66	Dos conversaciones	20
	70	Entrevistas	21
	73	El verbo **ser**	22
	77	Materiales diversos	23
	84	Verbo **tener**	24
	91	< Me llamo María Lozano >	25
Capítulo 2			
Pág.	96	Vocabulario. Nuestro país	26
	98	< Canadá, un país de gran ...>	27
	100	< En un hotel en Mazatlán >	28
	113	Verbos en **-ar**	29
	116	Verbo modelo **hablar**	30
Capítulo 3			
Pág.	126	Vocabulario. Nuestras actividades	31
	128	Cuestionario	32
	130	Modelos de verbos **-ar**, **-er**, **-ir**	33
	135	Tengo que / hay que	34

		Tracks

Capítulo 4

Pág.	140	Vocabulario. La granja, la ciudad	35
	142	La ciudad y el campo	36
	144	Dos descripciones	37, 38
	146	En el mercado	39
	154	Verbo **ir** + a + infinitivo	40

Capítulo 5

Pág.	158	La comida	41
	159	Vocabulario	42
	161	En el restaurante	43
	164	< Las comidas en España y L..>	44
	168	Verbos modelos **(o>ue, e>ie, e>i)**	45

Capítulo 6

Pág.	172	Vocabulario. El cuerpo humano	46
	176	Una conversación telefónica	47
	177	< El misterioso problema de Ernesto >	48
	183	María Lozano escribe	49

Capítulo 7

Pág.	190	Vocabulario. El dinero y sus usos	50
	191	Expresiones útiles	50
	194	Los negocios transnacionales	51
	195	En un banco de Caracas	52
	200	Participios	53
	204	Regateo en Bogotá	54

Capítulo 8

Pág.	214	Verbos reflexivos	55
	221	El viaje ideal	56

Capítulo 9

Pág.	224	Vocabulario. Artes	57
	225	El ingenioso hidalgo Don Quijote...	58
	227	Formas de pretérito	59

Capítulo 10

Pág.	240	Vocabulario. Cultura	60
	242	Cómo negociar con los chilenos	61
	244	Formas de imperfecto	62
	249	El chasqui	63

CD Musical Background - Imagin - *Edmonton*